917

POESÍAS LÍRICAS

EL ESTUDIANTE DE SALAMANCA

COLECCIÓN AUSTRAL

N.º 917

JOSÉ DE ESPRONCEDA

POESÍAS LÍRICAS
—
EL ESTUDIANTE DE SALAMANCA

OCTAVA EDICIÓN

ESPASA-CALPE, S. A.
MADRID

Ediciones para la

COLECCIÓN AUSTRAL

Primera edición: 23 - IX - 1949
Segunda edición: 28 - XII - 1949
Tercera edición: 11 - VIII - 1959
Cuarta edición: 7 - II - 1966
Quinta edición: 19 - VII - 1968
Sexta edición: 21 - VII - 1972
Séptima edición: 31 - III - 1975
Octava edición: 2 - III - 1978

© *Espasa-Calpe, S. A., Madrid, 1949*

———

Depósito legal: M. 5.783—1978

ISBN 84—239—0917—4

Impreso en España
Printed in Spain

Acabado de imprimir el día 2 de marzo de 1978

Talleres gráficos de la Editorial Espasa-Calpe, S. A.
Carretera de Irún, km. 12,200. Madrid-34

ÍNDICE

POESÍAS LÍRICAS

EL ESTUDIANTE DE SALAMANCA

A...

DEDICÁNDOLE ESTAS POESÍAS

SONETO

Marchitas ya las juveniles flores,
nublado el sol de la esperanza mia,
hora tras hora cuento, y mi agonía
crece con mi ansiedad y mis dolores.

Sobre terso cristal ricos colores
pinta alegre tal vez mi fantasia,
cuando la triste realidad sombría
mancha el cristal y empaña sus fulgores.

Los ojos vuelvo en incesante anhelo,
y gira en torno indiferente el mundo,
y en torno gira indiferente el cielo.

A ti las quejas de mi amor profundo,
hermosa sin ventura, yo te envío:
mis versos son tu corazón y el mio.

SERENATA

Delio a las rejas de Elisa
le canta en noche serena
   sus amores.

Raya la luna, y la brisa
al pasar plácida suena
   por las flores.

Y al eco que va formando
el arroyuelo saltando
   tan sonoro,

le dice Delio a su hermosa
en cantilena amorosa:
   "Yo te adoro."

en el regazo adormida
del blando sueño, presentes
   mil delicias,

En tu ilusión embebida,
feliz te finges, y sientes
   mis caricias.

Y en la noche silenciosa,
por la pradera espaciosa,
   blando coro

forman, diciendo a mi acento
el arroyuelo y el viento:
   "Yo te adoro."

En derredor de tu frente,
leve soplo vuela apenas
      muy callado,

y allí esparcido se siente
dulce aroma de azucenas
      regalado.

Que en fragancia deleitosa
vuela también a la diosa
      que enamoro,

el eco grato que suena
oyendo mi cantilena:
      "Yo te adoro."

Del fondo del pecho mío
vuela a ti suspiro tierno
      con mi acento:

en él, mi Elisa, te envío
el fuego de amor eterno,
      que yo siento.

Por él, mi adorada hermosa,
por esos labios de rosa
      de ti imploro

que le escuches con ternura,
y le oirás cómo murmura:
      "Yo te adoro."

Despierta y el lecho deja:
no prive el sueño tirano
      de tu risa

a Delio, que está a tu reja
y espera ansioso tu mano,
      bella Elisa.

Despierta, que ya pasaron
las horas que nos costaron
      tanto lloro:

sal, que gentil enramada
dice a tu puerta enlazada:
"Yo te adoro."

Londres, 1823.

A UNA DAMA BURLADA

Dueña de rubios cabellos,
   tan altiva
que creéis que basta el vellos
para que un amante viva
   preso en ellos
el tiempo que vos queréis;
si tanto ingenio tenéis
que entretenéis tres galanes,
¿cómo salieron mal hora,
   mi señora,
   tus afanes?

Pusiste gesto amoroso
   al primero:
al segundo el rostro hermoso
le volviste placentero,
   y con doloso
sortilegio en tu prisión
entró un tercer corazón:
viste a tus pies tres galanes,
y diste, al verlos rendidos,
   por cumplidos
   tus afanes.

¡De cuántas mañas usabas
   diligente!
Ya tu voz al viento dabas,
ya mirabas dulcemente,
   o ya hablabas
de amor, o dabas enojos;
y en tus engañosos ojos
a un tiempo los tres galanes
sin saberlo tú, leían
   que mentían
   tus afanes.

Ellos de ti se burlaban;
    tú reías;
ellos a ti te engañaban,
y tú, mintiendo, creías
    que te amaban:
decid, ¿quién aquí engañó?
¿Quién aquí ganó o perdió?
Sus deseos tus galanes
al fin miraron cumplidos,
    tú, fallidos,
    tus afanes.

A LA NOCHE

ROMANCE

Salve, oh tú, noche serena,
que el mundo velas augusta,
y los pesares de un triste
con tu oscuridad endulzas.

El arroyuelo a lo lejos
más acallado murmura,
y entre las ramas el aura
eco armonioso susurra.

Se cubre el monte de sombras
que las praderas anublan,
y las estrellas apenas
con trémula luz alumbran.

Melancólico ruïdo
del mar las olas murmuran,
y fatuos, rápidos fuegos
entre sus aguas fluctúan.

El majestuoso río
sus claras ondas enluta
y los colores del campo
se ven en sombra confusa.

Al aprisco sus ovejas
lleva el pastor con presura,
y el labrador impaciente
los pesados bueyes punza.

En sus hogueras le esperan
su esposa y prole robusta,
parca cena preparada
sin sobresalto ni angustia.

Todos süave reposo
en tu calma ¡oh noche!, buscan,
y aun las lágrimas tus sueños
al desventurado enjugan.

¡Oh qué silencio! ¡Oh qué grata
oscuridad y tristura!
¡Cómo el alma contemplaros
en sí recogida gusta!

Del mustio agorero buho
el ronco graznar se escucha,
que el magnífico reposo
interrumpe de las tumbas.

Allá en la elevada torre
lánguida lámpara alumbra,
y en derredor negras sombras,
agitándose, circulan.

Mas ya el pértigo de plata
muestra naciente la luna,
y las cimas del otero
de cándida luz inunda.

Con majestad se adelanta
y las estrellas ofusca,
y el azul del alto cielo
reverbera en lumbre pura.

Deslízase manso el río,
y su luz trémula ondula
en sus aguas retratada,
que, terso espejo, relumbran.

Al blando batir del remo
dulces cantares se escuchan
del pescador, y su barco
al plácido rayo cruza.

El ruiseñor a su esposa
con vario cántico arrulla,
y en la calma de los bosques
dice él solo sus ternuras.

Tal vez de algún caserío
se ve subir en confusas
ondas el humo, y por ellas
entreclarear la luna.

Por el espeso ramaje
penetrar sus rayos dudan,
y las hojas que los quiebran,
hacen que tímidos luzcan.

Ora la brisa süave
entre las flores susurra
y de sus gratos aromas
el ancho campo perfuma.

Ora acaso en la montaña
eco sonoro modula
algún lánguido sonido,
que otro a imitar se apresura.

Silencio, plácida calma
a algún murmullo se juntan
tal vez, haciendo más grata
la faz de la noche oscura.

¡Oh! salve, amiga del triste,
con blando bálsamo endulza
los pesares de mi pecho.
que en ti su consuelo buscan.

EL PESCADOR

Pescadorcita mía,
desciende a la ribera
y escucha placentera
mi cántico de amor;
  sentado en su barquilla,
te canta su cuidado,
cual nunca enamorado
tu tierno pescador.

  La noche el cielo encubre
y calla manso el viento,
y el mar sin movimiento
también en calma está:
  a mi batel desciende,
mi dulce amada hermosa:
la noche tenebrosa
tu faz alegrará.

  Aquí apartados, solos,
sin otros pescadores,
suavísimos amores
felice te diré,
  y en esos dulces labios
de rosas y claveles,
el ámbar y las mieles
que vierten libaré.

  La mar adentro iremos,
en mi batel cantando
al son del viento blando
amores y placer;
  regalaréte entonces
mil varios pececillos
que al verte, simplecillos
de ti se harán prender.

  De conchas y corales
y nácar a tu frente,
guirnalda reluciente,
mi bien, te ceñiré;

   y eterno amor mil veces
jurándote, cumplida
en ti, mi dulce vida,
mi dicha encontraré.

   No el hondo mar te espante,
ni el viento proceloso,
que al ver tu rostro hermoso
sus iras calmarán;
   y sílfides y ondinas
por reina de los mares,
con plácidos cantares
a par te aclamarán.

   Ven, ¡ay!, a mi barquilla:
completa mi fortuna:
naciente ya la luna
refleja el ancho mar;
   sus mansas olas bate
süave, leve brisa;
ven, ¡ay!, mi dulce Elisa,
mi pecho a consolar.

ÓSCAR Y MALVINA

IMITACIÓN DEL ESTILO DE OSIÁN

(A tale of the times of old)

LA DESPEDIDA

   El magnífico Morven, y su frente
de sempiterna nieve coronada:
al hondo valle, bramador torrente
de tu cumbre enriscada
se derrumba con ímpetu sonante,
y zumba allá distante.
La lira de Osián resonó un día
en tu breñosa cumbre:
tierna melancolía
vertió en la soledad, y repetiste
su acento de dolor, lánguido y dulce

como el recuerdo del amante triste
de su amada en la tumba,
el eco de su voz clamando "guerra",
al rumor del torrente parecía,
que en silencio retumba.
Aún figuro tal vez que las montañas
de nuevo esperan resonar su acento,
cual, muda la ribera,
de las olas que tornan,
el ronco estruendo y el embate espera.
¿Dónde estás, Osián? ¿En los palacios
de las nubes agitas la tormenta,
o en el collado gira allá en la noche
vagarosa tu sombra macilenta?
Siento tierno quejido,
y oigo el nombre de Óscar y de Malvina
del aura entre el rüido,
si el alta copa del ciprés inclina;
y a resonar el hijo de la roca,
cuando su voz se pierde
cual la luz de la luna entre la niebla,
mi mente se figura
que escucho tus acentos de dulzura.
Miro el alcázar de Fingal cubierto
de innoble musgo y yerba,
y en silencio profundo sepultado
como la noche el mar, el viento en calma.
¿Dó las armas están? ¿Dónde el sonido
del escudo batido?
¿Dó de Carril la lira delicada,
las fiestas de las conchas y tu llanto,
móina desconsolada?
Blando el eco repite
segunda vez el nombre de Malvina
y el de su dulce Óscar: tiernos se amaron:
gime en su losa de la noche el viento,
y repite sus nombres que pasaron.

   Óscar, de negros ojos: en los rayos
dulce su corazón como los rayos
del astro bello precursor del día;
y fiero en la batalla, de la lanza
a la suya seguía
la muerte que vibraba su pujanza.

Llamó al héroe la guerra
que el tirano Cairva fiero traía,
y su Malvina hermosa,
tierno llanto vertiendo, le decía:
"¿Dónde marchas, Óscar?" Sobre las rocas,
donde braman los vientos,
me mirarán llorar mis compañeras:
no más fatigaré, vibrando el arco,
por el monte las fieras,
ni a ti cansado de la ardiente caza
te esperaré cuidosa,
ni oiré ya más la voz de tus amores.
Ni mi alma estará nunca gozosa.
"¿En dónde está mi Óscar?", a los guerreros
preguntaré anhelante;
y ellos pasando junto a mí ligeros
responderán: "¡Murió!" Dice, y espira
en sollozos su acento, más süave
que del arpa el sonido,
al vislumbrar la luna
en solitario bosque y escondido.

"Destierra ese temor, Malvina mía",
Óscar responde con fingido aliento,
"muchos los héroes son que Fingal manda:
caiga el fiero Cairvar y yo perezca,
si es forzoso también; mas tú, Malvina,
bella como la edad de la inocencia,
vive, que ya destina
himnos el bardo a eternizar mi gloria.
Mis hazañas oirás, y entre las nubes
yo sonreiré feliz, y vagaroso
allá en la noche fría
bajaré a tu mansión; verás mi sombra
al triste rayo de la luna umbría."

Y dice, y se desprende de los brazos
de su infeliz Malvina;
a pasos rapidísimos avanza,
y a la llama oscilante
de las hogueras del extenso campo
brillar se ven sus armas cual radiante,
rápida exhalación. Yace en silencio
el campamento todo,
y sólo al eco repetir se siente

el crujir al andar de su armadura
y el blando susurrar del manso ambiente.
    Cual por nubes la luna silenciosa
su luz quebrada envía
trémula sobre el mar que la retrata,
que ora se ve brillar, ora perdida,
pardo vellón de nube la arrebata,
cielo y tierra en tinieblas sepultando;
así a veces Óscar brilla y se pierde,
la selva atravesando.

EL COMBATE

    Cairvar yace adormido
y tiene junto a sí lanza y escudo,
y relumbra su yelmo
claro a la llamada reluciente
de un tronco carcomido,
casi despojo de la llama ardiente,
mitad de él a cenizas reducido.
    "Levántate, Cairvar", Óscar le grita:
"cual hórrida tormenta
eres tú de temer; mas yo no tiemblo:
desprecio tu arrogancia y osadía:
la lanza presta y el escudo embraza;
álzate, pues, que Óscar te desafía."
    Cual en noche serena
súbito amenazante, inmensa nube
la turbulenta mar de espanto llena,
se levanta Cairvar, alto cual roca
de endurecido hielo.
"¿Quién osa del valiente?",
en voz tronante grita,
"¿ora turbar el sueño?, ¿y quién irrita
la cólera a Cairvar armipotente?"
    "Vigoroso es tu brazo en la pelea,
rey del mar de aurirolladas olas."
Óscar de negros ojos le responde,
....
....
"Hará ceder tu indómita pujanza."

Como el furor del viento proceloso
ondas con ondas con bramido horrendo
estrella impetuoso,
los guerreros ardiendo se arremeten
y fieros se acometen.
    Chispea el hierro, la armadura suena:
al rumor de los golpes gime el viento,
y su son dilatándose violento,
al ronco monte atruena.
Cayó Cairvar como robusto tronco
que tumba el leñador al golpe rudo
de hendiente hacha pesada,
y cayó derribada
su soberbia fiereza,
y su insolente orgullo y aspereza.
    Mas ¡ay! que moribundo
Óscar yace también: ¡triste Malvina!
Aún no los bellos ojos apartaste
del bosque aquel que le ocultó a tu vista,
y del último adiós aún no enjugaste
las lágrimas hermosas,
auras de la mañana.
Siempre sola estarás: si entre las selvas
pirámide de hielo
reverbera a la luna,
en tu ilusión dichosa
figurarás tú amante,
pensando ver su cota fulgurosa:
pasará tu delirio,
y verterás el llanto de amargura
sola y desconsolada...
    "¡Ay! ¡Óscar pereció!, gemirá el viento
al romper la alborada,
y al ocultar el sol la sombra oscura
de la noche callada.

EL SOL

HIMNO

Para y óyeme ¡oh sol! yo te saludo
y extático ante ti me atrevo a hablarte:
ardiente como tú mi fantasía,
arrebatada en ansias de admirarte
intrépidas a ti sus alas guía.
¡Ojalá que mi acento poderoso,
sublime resonando,
del trueno pavoroso
la temerosa voz sobrepujando,
¡oh sol! a ti llegara
y en medio de tu curso te parara!
¡Ah! Si la llama que mi mente alumbra
diera también su ardor a mis sentidos;
al rayo vencedor que los deslumbra,
los anhelantes ojos alzaría,
y en tu semblante fúlgido atrevidos,
mirando sin cesar, los fijaría.
¡Cuánto siempre te amé, sol refulgente!
¡Con qué sencillo anhelo,
siendo niño inocente,
seguirte ansiaba en el tendido cielo,
y extático te vía
y en contemplar tu luz me embebecía!
De los dorados límites de Oriente
que ciñe el rico en perlas Oceano,
al término sombroso de Occidente,
las orlas de tu ardiente vestidura
tiendes en pompa, augusto soberano,
y el mundo bañas en tu lumbre pura,
vívido lanzas de tu frente el día,
y, alma y vida del mundo
tu disco en paz majestuoso envía
plácido ardor fecundo,
y te elevas triunfante,
corona de los orbes centellante.
Tranquilo subes del cenit dorado
al regio trono en la mitad del cielo,

de vivas llamas y esplendor ornado,
y reprimes tu vuelo:
y desde allí tu fúlgida carrera
rápido precipitas,
y tu rica encendida cabellera
en el seno del mar trémula agitas,
y tu esplendor se oculta,
y el ya pasado día
con otros mil la eternidad sepulta.

　¡Cuántos siglos sin fin, cuántos has visto
en su abismo insondable desplomarse!
¡Cuánta pompa, grandeza y poderío
de imperios populosos disiparse!
¿Qué fueron ante ti? Del bosque umbrío
secas y leves hojas desprendidas,
que en círculo se mecen
y al furor de Aquilón desaparecen.
Libre tú de la cólera divina,
viste anegarse el universo entero,
cuando las aguas por Jehová lanzadas,
impelidas del brazo justiciero
y a mares por los vientos despeñadas,
bramó la tempestad: retumbó en torno
el ronco trueno y con temblor crujieron
los ejes de diamante de la tierra:
montes y campos fueron
alborotado mar, tumba del hombre.
Se estremeció el profundo;
y entonces tú, como señor del mundo,
sobre la tempestad tu trono alzabas,
vestido de tinieblas,
y tu faz engreías,
y a otros mundos en paz resplandecías,
　y otra vez nuevos siglos
viste llegar, huir, desvanecerse
en remolino eterno, cual las olas
llegan, se agolpan y huyen de Oceano,
y tornan otra vez a sucederse;
mientras inmutable tú, solo y radiante
¡oh sol! siempre te elevas,
y edades mil y mil huellas triunfante.

　¿Y habrás de ser eterno, inextinguible,
sin que nunca jamás tu inmensa hoguera

pierda su resplandor, siempre incansable,
audaz siguiendo tu inmortal carrera,
hundirse las edades contemplando
y solo, eterno, perenal, sublime,
monarca poderoso, dominado?
No; que también la muerte,
si de lejos te sigue,
no menos anhelante te persigue.
¿Quién sabe si tal vez pobre destello
eres tú de otro sol que otro universo
mayor que el nuestro un día
con doble resplandor esclarecía!!!

Goza tu juventud y tu hermosura,
¡oh sol!, que cuando el pavoroso día
llegue que el orbe estalle y se desprenda
de la potente mano
del Padre soberano,
y allá a la eternidad también descienda,
deshecho en mil pedazos, destrozado
y en piélagos de fuego
envuelto para siempre y sepultado;
de cien tormentas al horrible estruendo,
en tinieblas sin fin tu llama pura
entonces morirá: noche sombría
cubrirá eterna la celeste cumbre:
ni aun quedará reliquia de tu lumbre!!!

CANCIONES

LA CAUTIVA

Ya el sol esconde sus rayos,
el mundo en sombras se vela,
el ave a su nido vuela.
Busca asilo el trovador.

Todo calla: en pobre cama
duerme el pastor venturoso:
en su lecho suntüoso
se agita insomne el señor.

Se agita; mas ¡ay! reposa
al fin en su patrio suelo;
no llora en mísero duelo
la libertad que perdió.

Los campos ve que a su infancia
horas dieron de contento,
su oído halaga el acento
del país donde nació.

No gime ilustre cautivo
entre doradas cadenas,
que si bien de encanto llenas,
al cabo cadenas son.

Si acaso, triste lamenta,
en torno ve a sus amigos,
que, de su pena testigos,
consuelan su corazón.

La arrogante erguida palma
que en el desierto florece,
al viajero sombra ofrece,
descanso y grato manjar.

Y, aunque sola, allí es querida
del árabe errante y fiero,
que siempre va placentero
a su sombra a reposar.

Mas ¡ay triste! yo cautiva,
huérfana y sola suspiro,
en clima extraño respiro,
y amo a un extraño también.

No hallan mis ojos mi patria;
humo han sido mis amores;
nadie calma mis dolores
y en celos me siento arder.

¡Ah! ¿Llorar? ¿Llorar?... no puedo
ni ceder a mi tristura,
ni consuelo en mi amargura
podré jamás encontrar.

Supe amar como ninguna,
supe amar correspondida;
despreciada, aborrecida,
¿no sabré también odiar

¡Adiós, patria!, ¡adiós, amores!
La infeliz Zoraida ahora
sólo venganzas implora,
ya condenada a morir.

No soy ya del castellano
la sumisa enamorada:
soy la cautiva cansada
ya de dejarse oprimir.

CANCIÓN DEL PIRATA

Con diez cañones por banda,
viento en popa a toda vela,
no corta el mar, sino vuela
un velero bergantín:
   bajel pirata que llaman
por tu bravura el *Temido*,
en todo mar conocido
del uno al otro confín.

   La luna en el mar ríela,
en la lona gime el viento,
y alza en blando movimiento
olas de plata y azul;
   y ve el capitán pirata,
cantando alegre en la popa,
Asia a un lado, al otro Europa
y allá a su frente Stambul.

   "Navega, velero mío,
      sin temor,
que ni enemigo navío
ni tormenta, ni bonanza,
tu rumbo a torcer alcanza,
ni a sujetar tu valor.

"Veinte presas
hemos hecho
a despecho
del inglés,
y han rendido
sus pendones
cien naciones
a mis pies.

"Que es mi barco mi tesoro,
que es mi Dios la libertad,
mi ley la fuerza y el viento,
mi única patria la mar.

"Allá muevan feroz guerra
        ciegos reyes
por un palmo más de tierra:
que yo tengo aquí por mío
cuanto abarca el mar bravío,
a quien nadie impuso leyes.

        "Y no hay playa
        sea cual quiera,
        ni bandera
        de esplendor,
        que no sienta
        mi derecho
        y dé pecho
        a mi valor.

"Que es mi barco mi tesoro...

"A la voz de "¡barco viene!"
        Es de ver
cómo vira y se previene
a todo trapo a escapar:
que yo soy el rey del mar,
y mi furia es de temer.

        "En las presas
        yo divido
        lo cogido
        por igual:

sólo quiero
por riqueza
la belleza
sin rival.

"Que es mi barco mi tesoro...

"¡Sentenciado estoy a muerte!
     Yo me río:
no me abandone la suerte,
y al mismo que me condena,
colgaré de alguna entena,
quizá en su propio navío.

     "Y si caigo,
     ¿qué es la vida?
     Por perdida
     ya la di
     cuando el yugo
     del esclavo,
     como un bravo,
     sacudí.

"Que es mi barco mi tesoro...

"Son mi música mejor
          aquilones;
el estrépito y temblor
de los cables sacudidos,
del negro mar los bramidos
y el rugir de mis cañones.

     "Y del trueno
     al son violento,
     y del viento
     al rebramar,
     yo me duermo
     sosegado.
     Arrullado
     por el mar.

"Que es mi barco mi tesoro,
que es mi Dios la libertad,
mi ley la fuerza y el viento,
mi única patria la mar."

EL CANTO DEL COSACO

> Donde sienta mi caballo los pies
> no vuelve a nacer la hierba.
>
> *Palabras de Atila.*

CORO

¡Hurra, cosacos del desierto! ¡Hurra!
La Europa os brinda espléndido botín:
sangrienta charca sus campiñas sean,
de los grajos su ejército festín.

¡Hurra! ¡a caballo, hijos de la niebla!
Suelta la rienda, a combatir volad:
¿veis esas tierras fértiles?, las puebla
gente opulenta, afeminada ya.

Casas, palacios, campos y jardines,
todo es hermoso y refulgente allí:
son sus hembras celestes serafines,
su sol alumbra un cielo de zafir.
    ¡Hurra, cosacos del desierto!...

Nuestros sean su oro y sus placeres,
gocemos de ese campo y ese sol;
son sus soldados menos que mujeres,
sus reyes viles mercaderes son.
    Vedlos huir para esconder su oro,
vedlos cobardes lágrimas verter...
¡Hurra! volad: sus cuerpos, su tesoro
huellen nuestros caballos con sus pies.
    ¡Hurra, cosacos del desierto!...

Dictará allí nuestro capricho leyes,
nuestras casas alcázares serán,
los cetros y coronas de los reyes
cual juguetes de niño rodarán.
    ¡Hurra! ¡volad! a hartar nuestros deseos:
las más hermosas nos darán su amor,
y no hallarán nuestros semblantes feos,
que siempre brilla hermoso el vencedor.
    ¡Hurra, cosacos del desierto!...

Desgarraremos la vencida Europa
cual tigres que devoran su ración;
en sangre empaparemos nuestra ropa
cual rojo manto de imperial señor.
   Nuestros nobles caballos relinchando
regias habitaciones morarán;
cien esclavos, sus frentes inclinando,
al mover nuestros ojos temblarán.
      ¡Hurra, cosacos del desierto!...

   Venid, volad, guerreros del desierto,
como nubes en negra confusión,
todos suelto el bridón, el ojo incierto,
todos atropellándose en montón.
   Id en la espesa niebla confundidos,
cual tromba que arrebata el huracán,
cual témpanos de hielo endurecidos
por entre rocas despeñados van.
      ¡Hurra, cosacos del desierto!...

   Nuestros padres un tiempo caminaron
hasta llegar a una imperial ciudad;
un sol más puro es fama que encontraron,
y palacios de oro y de cristal.
   Vadearon el Tibre sus bridones,
yerta a sus pies la tierra enmudeció;
su sueño con fantásticas canciones
la fada de los triunfos arrulló.
      ¡Hurra, cosacos del desierto!...

   ¡Qué! ¿No sentís la lanza estremecerse,
hambrienta en vuestras manos de matar?
¿No veis entre la niebla aparecerse
visiones mil que el parabién nos dan?
   Escudo de esas míseras naciones
era ese muro que abatido fué;
la gloria de Polonia y sus blasones
en humo y sangre convertidos ved.
      ¡Hurra, cosacos del desierto!...

   ¿Quién en dolor trocó sus alegrías?
¿Quién sus hijos triunfante encadenó?
¿Quién puso fin a sus gloriosos días?
¿Quién en su propia sangre los ahogó?

¡Hurra, cosacos! ¡gloria al más valiente!
Esos hombres de Europa nos verán:
¡Hurra! nuestros caballos en su frente
hondas sus herraduras marcarán.
    ¡Hurra, cosacos del desierto!...

    A cada bote de la lanza ruda,
a cada escape en la abrasada lid,
la sangrienta ración de carne cruda
bajo la silla sentiréis hervir.
    Y allá después en templos suntüosos,
sirviéndonos de mesa algún altar,
nuestra sed calmarán vinos sabrosos,
hartará nuestra hambre blanco pan.
    ¡Hurra, cosacos del desierto!...

    Y nuestras madres nos verán triunfantes,
y a esa caduca Europa a nuestros pies,
y acudirán de gozo palpitantes
en cada hijo a contemplar un rey.
    Nuestros hijos sabrán nuestras acciones,
las coronas de Europa heredarán,
y a conquistar también otras regiones
el caballo y la lanza aprestarán.

    ¡Hurra, cosacos del desierto! ¡Hurra!
La Europa os brinda espléndido botín:
sangrienta charca sus campiñas sean,
de los grajos su ejército festín.

EL MENDIGO

Mío es el mundo: como el aire libre,
otros trabajan porque coma yo;
todos se ablandan si doliente pido
una limosna por amor de Dios.

El palacio, la cabaña,
        son mi asilo,
si del ábrego el furor
troncha el roble en la montaña,

o que inunda la campaña
el torrente asolador.

Y a la hoguera
me hacen lado
los pastores
con amor.
Y sin pena
y descuidado
de su cena
ceno yo,
o en la rica
chimenea
que recrea
con su olor,
me regalo
codicioso
del banquete
suntüoso
con las sobras
de un señor.

Y me digo: el viento brama,
caiga furioso turbión;
que al son que cruje de la seca leña,
libre me duermo sin rencor ni amor...
   Mío es el mundo: como el aire libre...

Todos son mis bienhechores,
        y por todos
a Dios ruego con fervor;
de villanos y señores
yo recibo los favores
sin estima y sin amor.

Ni pregunto
quiénes sean,
ni me obligo
a agradecer;
que mis rezos
si desean,
dar limosna
es un deber.

Y es pecado
la riqueza:
la pobreza
santidad:
Dios a veces
es mendigo,
y al avaro
da castigo,
que le niegue
caridad.

Yo soy pobre y se lastiman
todos al verme plañir,
sin ver son mías sus riquezas todas,
que mina inagotable es el pedir.
    Mío es el mundo: como el aire libre...

Mal revuelto y andrajoso,
                entre harapos
del lujo sátira soy,
y con mi aspecto asqueroso
me vengo del poderoso
y adonde va, tras él voy.

Y a la hermosa
que respira
cien perfumes,
gala, amor,
la persigo
hasta que mira,
y me gozo
cuando aspira
mi punzante
mal olor.
Y las fiestas
y el contento
con mi acento
turbo yo,
y en la bulla
y la alegría
interrumpen
la armonía
mis harapos
y mi voz:

Mostrando cuán cerca habitan
el gozo y el padecer,
que no hay placer sin lágrimas, ni pena
que no traspire en medio del placer.
Mío es el mundo: como el aire libre...

Y para mí no hay *mañana,*
ni hay *ayer;*
olvido el bien como el mal,
nada me aflige ni afana;
me es igual para mañana
un palacio, un hospital.

Vivo ajeno
de memorias,
de cuidados
libre estoy;
busquen otros
oro y glorias,
yo no pienso
sino en hoy.
Y do quiera
vayan leyes,
quiten reyes,
reyes den;
yo soy pobre,
y al mendigo,
por el miedo
del castigo,
todos hacen
siempre bien.

Y un asilo donde quiera
y un lecho en el hospital
siempre hallaré, y un hoyo donde caiga
mi cuerpo miserable al espirar.

Mío es el mundo: como el aire libre,
otros trabajan porque coma yo;
todos se ablandan si doliente pido
una limosna por amor de Dios.

EL REO DE MUERTE

Para hacer bien por el alma
Del que van a ajusticiar!!!

I

Reclinado sobre el suelo
con lenta amarga agonía,
pensando en el triste día
que pronto amanecerá;
en silencio gime el reo
y el fatal momento espera
en que el sol por vez postrera
en su frente lucirá.

Un altar y un crucifijo
y la enlutada capilla,
lánguida vela amarilla
tiñe en su luz funeral;
y junto al mísero reo,
medio encubierto el semblante
se oye al fraile agonizante
en son confuso rezar.

El rostro levanta el triste
y alza los ojos al cielo,
tal vez eleva en su duelo
la súplica de piedad.
¡Una lágrima! ¿es acaso
de temor o de amargura?
¡Ay! a aumentar su tristura
vino un recuerdo quizá!!!

Es un joven, y la vida
llena de sueños de oro,
pasó ya, cuando aun el lloro
de la niñez no enjugó
el recuerdo es de la infancia,
¡y su madre que le llora,
para morir así ahora
con tanto amor le crió!

Y a par que sin esperanza
ve ya la muerte en acecho,
su corazón en su pecho
siente con fuerza latir;
al tiempo que mira al fraile
que en paz ya duerme a su lado,
y que, ya viejo y postrado
le habrá de sobrevivir.

¿Mas qué rumor a deshora
rompe el silencio? Resuena
una alegre cantilena
y una guitarra a la par,
y de gritos y botellas
que se chocan el sonido,
y el amoroso estallido
de los besos y el danzar.
Y también pronto en son triste
lúgubre voz sonará:
  ¡Para hacer bien por el alma
  del que van a ajusticiar!

Y la voz de los borrachos,
y sus brindis, sus quimeras,
y el cantar de las rameras,
y el desorden bacanal
en la lúgubre capilla
penetran, y carcajadas,
cual de lejos arrojadas
de la mansión infernal.
Y también pronto en son triste
lúgubre voz sonará:
  ¡Para hacer bien por el alma
  del que van a ajusticiar!

¡Maldición! al eco infausto,
el sentenciado maldijo
la madre que como a hijo
a sus pechos le crió;
y maldijo el mundo todo,
maldijo su suerte impía,
maldijo el aciago día
y la hora en que nació.

II

Serena la luna
alumbra en el cielo,
domina en el suelo
profunda quietud;
ni voces se escuchan,
ni ronco ladrido,
ni tierno quejido
de amante laúd.

Madrid yace envuelto en sueño,
todo al silencio convida,
y el hombre duerme y no cuida
del hombre que va a espirar;
si tal vez piensa en mañana,
ni una vez piensa siquiera
en el mísero que espera
para morir, despertar:
que sin pena ni cuidado
los hombres oyen gritar:
  ¡Para hacer bien por el alma
  del que van a ajusticiar!

¡Y el juez también en su lecho
duerme en paz! ¡y su dinero
el verdugo, placentero,
entre sueños cuenta ya!
tan sólo rompe el silencio
en la sangrienta plazuela
el hombre del mal que vela
un cadalso a levantar.

* * *

Loca y confusa la encendida mente,
sueños de angustia y fiebre y devaneo,
el alma envuelven del confuso reo,
que inclina al pecho la abatida frente.

Y en sueños
confunde
la muerte,
la vida:

recuerda
y olvida,
suspira,
respira
con hórrido afán.

Y en un mundo de tinieblas
vaga y siente miedo y frío,
y en su horrible desvarío
palpa en su cuello el dogal:
y cuanto más forcejea,
cuanto más lucha y porfía,
tanto más en su agonía
aprieta el nudo fatal.
Y oye ruido, voces, gentes,
y aquella voz que dirá:
    ¡Para hacer bien por el alma
    del que van a ajusticiar!

O ya libre se contempla,
y el aire puro respira,
y oye de amor que suspira
la mujer que a un tiempo amó,
bella y dulce cual solía,
tierna flor de primavera,
el amor de la pradera
que el abril galán mimó.

Y gozoso a verla vuela,
y alcanzarla intenta en vano,
que al tender la ansiosa mano
su esperanza a realizar,
su ilusión la desvanece
de repente el sueño impío,
y halla un cuerpo mudo y frío
y un cadalso en su lugar:
y oye a su lado en son triste
lúgubre voz resonar:
    ¡Para hacer bien por el alma
    del que van a ajusticiar!

EL VERDUGO

De los hombres lanzado al desprecio,
de su crimen la víctima fuí,
y se evitan de odiarse a sí mismos,
fulminando sus odios en mí.
                    Y su rencor
al poner en mi mano, me hicieron
                    su vengador;
y se dijeron:
"Que nuestra vergüenza común caiga en él;
se marque en su frente nuestra maldición;
su pan amasado con sangre y con hiel,
su escudo con armas de eterno baldón
                    sean la herencia
                    que legue al hijo,
                    el que maldijo
                    la sociedad."
                    ¡Y de mí huyeron,
de sus culpas el manto me echaron,
y mi llanto y mi voz escucharon
                    sin piedad!

Al que a muerte condena le ensalzan...
¿Quién al hombre del hombre hizo juez?
¿Que no es hombre ni siente el verdugo
imaginan los hombres tal vez?
                    ¡Y ellos no ven
que yo soy de la imagen divina
                    copia también!
                    Y cual dañina
fiera a que arrojan un triste animal
que ya entre sus dientes se siente crujir,
así a mí, instrumento del genio del mal,
me arrojan el hombre que traen a morir.
                    Y ellos son justos,
                    yo soy maldito;
                    yo sin delito
                    soy criminal:
                    mirad al hombre

que me paga una muerte; el dinero
me echa al suelo con rostro altanero,
           ¡a mí, su igual!

El tormento que quiebra los huesos
y del reo el histérico ¡ay!,
y el crujir de los nervios rompidos
bajo el golpe del hacha que cae,
           son mi placer.
Y al rumor que en las piedras rodando
           hace, al caer,
           del triste saltando
la hirviente cabeza de sangre en un mar,
allí entre el bullicio del pueblo feroz
mi frente serena contemplan brillar,
tremenda, radiante con júbilo atroz.
           que de los hombres
           en mí respira
           toda la ira,
           todo el rencor:
           que a mí pasaron
la crueldad de sus almas impía,
y al cumplir su venganza y la mía,
           gozo en mi horror.

Ya más alto que el grande que altivo
con sus plantas hollara la ley
al verdugo los pueblos miraron,
y mecido en los hombros de un rey:
           y en él se hartó,
embriagado de gozo aquel día
           cuando espiró;
           y su alegría
su esposa y sus hijos pudieron notar,
que en vez de la densa tiniebla de horror,
miraron la risa su labio amargar,
lanzando sus ojos fatal resplandor.
           Que el verdugo
           con su encono
           sobre el trono
           se asentó:
           y aquel pueblo

que tan alto le alzara bramando,
otro rey de venganzas, temblando,
              en él miró.

En mí vive la historia del mundo
que el destino con sangre escribió,
y en sus páginas rojas Dios mismo
mi figura imponente grabó.
              La eternidad
ha tragado cien siglos y ciento,
              y la maldad
              su monumento
en mí todavía contempla existir;
y en vano es que el hombre do brota la luz
con viento de orgullo pretenda subir:
¡preside el verdugo los siglos aún!
              Y cada gota
              que me ensangrienta,
              del hombre ostenta
              un crimen más.
              Y yo aún existo,
fiel recuerdo de edades pasadas,
a quien siguen cien sombras airadas
              siempre detrás.

¡Oh!, ¿por qué te ha engendrado el verdugo,
tú, hijo mío, tan puro y gentil?
En tu boca la gracia de un ángel
presta gracia a tu risa infantil.
              ¡Ay!, tu candor,
tu inocencia, tu dulce hermosura
              me inspira horror.
              ¡Oh!, ¿tu ternura,
mujer, a qué gastas con ese infeliz?
¡Oh!, muéstrate madre piadosa con él;
ahógale y piensa será así feliz.
¿Qué importa que el mundo te llame cruel?
              ¿mi vil oficio
              querrás que siga,
              que te maldiga
              tal vez querrás?
              ¡Piensa que un día

al que hoy miras jugar inocente,
maldecido cual yo y delincuente
también verás!

A LA MUERTE

DE

TORRIJOS Y SUS COMPAÑEROS

SONETO

Helos allí: junto a la mar bravía
cadáveres están, ¡ay!, los que fueron
honra del libre, y con su muerte dieron
almas al cielo, a España nombradía.

Ansia de patria y libertad henchía
sus nobles pechos que jamás temieron,
y las costas del Málaga los vieron
cual sol de gloria en desdichado día.

Españoles, llorad; mas vuestro llanto
lágrimas de dolor y sangre sean,
sangre que ahogue a siervos y opresores,

Y los viles tiranos, con espanto,
siempre delante amenazando vean
alzarse sus espectros vengadores.

A LA MUERTE

DE

DON JOAQUÍN DE PABLO

(CHAPALANGARRA)

Desde la elevada cumbre
do el gran Pirene levanta
término y muro soberbio
que cerca y defiende a España.

un joven proscrito de ella
tristes lágrimas derrama,
y acaso tiende la vista
por ver desde allí su patria,
desde allí do a su despecho,
llorando deja las armas
con que del Sena al Pirene
se lanzó por libertarla;
y al ver la turba de esclavos
que sus hierros afianzan,
de infame triunfo orgullosos,
alejarse en algazara,
sólo entonces, contemplando
el suelo que ellos pisaran
y que aún torrentes de sangre
recién derramada bañan,
en su rápida carrera
volcando cuerpos y almas,
se sienta en la alzada cima,
a un lado la rota espada,
y al rumor de los torrentes
y del huracán que brama,
negra cítara pulsando,
endechas lúgubres canta.

Llorad, vírgenes tristes de Iberia,
nuestros héroes en fúnebre lloro;
dad al viento las trenzas de oro
y los cantos de muerte entonad:

Y vosotros ¡oh nobles guerreros,
de la patria sostén y esperanza!
Abrasados en sed de venganza,
odio eterno al tirano jurad.

CORO DE VÍRGENES

Danos, noche, tu lóbrego manto,
nuestras frentes enlute el ciprés;
el robusto cayó: su sepulcro
del inicuo mancharan los pies.

Enrojece ¡oh Pirene!, tus cumbres
pura sangre del libre animoso,
y el tropel de los siervos odioso
en su lago su sed abregó.

Cayó en ellas la gloria de España,
cayó en ellas De Pablo valiente,
y la patria inclinada la frente,
su genio al del héroe juntó.

Sus cadenas la patria arrastrando,
y su manto con sangre teñido,
tardamente y con hondo gemido
va a la tumba del fuerte varón.

Y el ajado laurel de su frente
al sepulcro circunda llorosa,
mientras ruge en la fúnebre losa,
aherrojada a sus pies, el león.

CORO DE MANCEBOS

Traición sólo ha vencido al valiente;
sénos astros de triunfo y de honor,
tú, que siempre a los despotas fuiste
como a negras tormentas el sol.

DESPEDIDA
DEL PATRIOTA GRIEGO
DE LA
HIJA DEL APÓSTATA

Era la noche: en la mitad del cielo
su luz rayaba la argentada luna,
y otra luz más amable destellaba
de sus llorosos ojos la hermosura.

Allí en la triste soledad se hallaron
su amante y ella con mortal angustia,

y su voz en amarga despedida
por vez prostrera la infeliz escucha.

"Determinado está; sí, mi sentencia
para siempre selló la suerte injusta,
y cuando allá la eternidad sombría
este momento en sus abismos hunda.

"¡Ojalá para siempre que el olvido,
suavizando el rigor de la fortuna,
la imagen ¡ay!, de las pasadas glorias
bajo sus alas lóbregas encubra!

"¿Por qué yo fuí por mi fatal destino
del seno de mi madre moribunda.
y salvo he sido de mortales riesgos
para vivir penando en amargura?

"¿Por qué yo fuí por mi fatal destino
unido a ti desde la tierra cuna?
¿Por qué nos hizo iguales en riqueza
y en linaje también mi desventura?

"¿Por qué mi infancia en inocentes juegos
brilló contigo, y con delicia mutua
ambos tejimos el infausto lazo
que nuestras almas míseras anuda?

"¡Ah!, para siempre adiós: vano es ahora
acariciar memorias de ventura;
voló ya la ilusión de la esperanza,
y es vano amar sin esperanza alguna.

"¿Qué puede el infeliz contra el destino?
¿Qué ruegos moverán, qué desventuras
el bajo pecho de tu infame padre?
Infame, sí, que al despotismo jura.

"Vil sumisión, y en sórdida avaricia
vende su patria a las riquezas turcas.
Él apellida sacrosantas leyes
el capricho de un déspota; él nos juzga

"de rebeldes do quier: su voz comprada
culpa a su patria y al tirano adula:
él nos ordena ante el sultán odioso
humilde miedo y obediencia muda.

"Mas no, que el alma de la Grecia existe;
santo furor su corazón circunda,
que ávido se hartará de sangre hirviente,
que nuevo ardor le infundirá y bravura.

"No ya el tirano mandará en nosotros:
tristes rüinas, áridas llanuras,
cadáveres no más serán su imperio:
será sólo el señor de nuestras tumbas.

"Ya osan ser libres los armados brazos
y ya rompen la bárbara coyunda;
y con júbilo a ti, todos ¡oh muerte!,
y a ti, divina libertad, saludan.

"Gritos de triunfo, sacudido el viento
hará que al éter resonando suban,
o eterna muerte cubrirá a la Grecia
en noche infanda y soledad profunda.

"Ese altivo monarca, que embriagado
yace en perfumes y lascivia impura,
despechado sabrá que no hay cadena
que la mano de un libre no destruya.

"Con rabia oirá de libertad el grito
sonar tremendo en la obstinada lucha,
y con miedo y horror su sed de sangre
torrentes hartarán de sangre turca.

"Y tu padre también, si ora impudente
so el poder del islam su patria insulta,
pronto verá cuán formidable espada
blande en la lid la libertad sañuda.

"Marcha y dile por mí que hay mil valientes,
y yo uno de ellos, que animosos juran
morir cual héroes o romper el cetro
a cuya sombra el pérfido se escuda.

"Que aunque marcados con la vil cadena,
no han sido esclavas nuestras almas nunca,
que el heredado ardor de nuestros padres
las hace hervir aún: que nuestra furia

"nos labrará, lidiando, en cada golpe
triunfo seguro o noble sepultura.
Dile que sólo en baja servidumbre
puede vivir un alma cual la suya.

"El alma de un apóstata que indigno
llega sus labios a la mano impura,
que de caliente sangre reteñida,
nuevos destrozos a su patria anuncia.

"Perdóname, infeliz, si mis palabras
rudas ofenden tu filial ternura.
Es verdad, es verdad: tu padre un tiempo
mi amigo se llamó, y ¡ojalá nunca

"pasado hubieran tan dichosos días!
¡Yo no llamara injusta a la fortuna!
¡Cómo entonces mi mano enjugaría
las lágrimas que viertes de amargura!

"Tú padre ¡oh Dios!, como engañoso amigo
cuando la Grecia la servil coyunda
intrépida rompió, cuando mi pecho
respiraba gozoso el aura pura

"de la alma libertad, pensó el inicuo
seducirme tal vez con tu hermosura,
y en premio vil me prometió tu mano
sin ser secuaz de su traición inmunda,

"y desolar mi patria me ofrecía.
¡Esclavo yo de la insolente turba
de esclavos del sultán! Antes el cielo
mis yertos miembros insepultos cubra,

"que goce yo de ignominiosa vida
ni en el seno feliz de tu duzura.
¡Ah!, para siempre adiós: la infausta suerte
que el lazo rompe que las almas junta,

"y va a arrancar tu corazón del mío,
tan sólo ahora una esperanza endulza.
Yo te hallaré donde perpetuas dichas
las almas de los ángeles disfrutan.

"¡Ah!, para siempre adiós... tente... un momento
un beso nada más... es de amargura...
Es el último ¡oh Dios!... mi sangre hiela...
¡Ah!, los martirios del infierno nunca

"igualaron mi pena y mi agonía.
¡Terminara la muerte aquí mi angustia,
y aun muriera feliz! ¡Mis ojos quema
una lágrima ¡oh Dios!, y tú la enjugas!

"¡Quién resistir podrá! —Basta, la hora
se acerca ya que mi partida anuncia.
¡Ojalá para siempre que el olvido
suavizando el rigor de la fortuna,

"¡la imagen ¡ay!, de las pasadas glorias
bajo sus alas lóbregas encubra!"

Dice y se alejan: a esperar consuelo
la hija del Apóstata en la tumba;
él batallando pereció en las lides,
y ella víctima fué de su amargura.

¡GUERRA!

¿Oís?, es el cañón. Mi pecho hirviendo
el cántico de guerra entonará,
y al eco ronco del cañón venciendo,
la lira del poeta sonará.

El pueblo ved que la orgullosa frente
levanta ya del polvo en que yacía,
arrogante en valor, omnipotente,
terror de la insolente tiranía.
Rumor de voces siento,
y al aire miro deslumbrar espadas,
y desplegar banderas;

y retumban al son las escarpadas
rocas del Pirineo;
y retiemblan los muros
de la opulenta Cádiz, y el deseo
crece en los pechos de vencer lidiando;
brilla en los pechos el marcial contento,
y dondequiera generoso acento
se alza de PATRIA y LIBERTAD tronando.

Al grito de la patria
volemos, compañeros,
blandamos los aceros
que intrépida nos da.
A par en nuestros brazos
ufanos la ensalcemos
y al mundo proclamemos:
"España es libre ya."
¡Mirad, mirad en sangre
y lágrimas teñidos
reír los forajidos,
gozar en su dolor!
¡Oh!, fin tan sólo ponga
su muerte a la contienda,
y cada golpe encienda
aún más nuestro rencor.
¡Oh siempre dulce patria
al alma generosa!
¡Oh siempre portentosa
magia de libertad!
Tus ínclitos pendones
que el español tremola,
un rayo tornasola
del iris de la paz.
En medio del estruendo
del bronce pavoroso,
tu grito prodigioso
se escucha resonar.
Tu grito que las almas
inunda de alegría,
tu nombre que a esa impía
caterva hace temblar.
¿Quién hay ¡oh compañeros!,
que al bélico redoble

no sienta el pecho noble
con júbilo latir?
Mirad centelleantes
cual nuncios ya de gloria,
reflejos de victoria
las armas despedir.

¡Al arma!, ¡al arma!, ¡mueran los carlistas!
Y al mar se lancen con bramido horrendo
de la infiel sangre caudalosos ríos,
y atónito contemple el océano
sus olas combatidas
con la traidora sangre enrojecidas.

Truene el cañón: el cántico de guerra,
pueblos ya libres, con placer alzad:
ved, ya desciende a la oprimida tierra,
los hierros a romper, la libertad.

A LA PATRIA

ELEGÍA

¡Cuán solitaria la nación que un día
poblara inmensa gente!
¡La nación cuyo imperio se extendía
del Ocaso al Oriente!
Lágrimas viertes, infeliz ahora,
soberana del mundo,
¡y nadie de tu faz encantadora
borra el dolor profundo!
Oscuridad y luto tenebroso
en ti vertió la muerte,
y en su furor el déspota sañoso
se complació en tu suerte.
No perdonó lo hermoso, patria mía;
cayó el joven guerrero,
cayó el anciano, y la segur impía
manejó placentero.
So la rabia cayó la virgen pura
del déspota sombrío,

como eclipsa la rosa su hermosura
en el sol del estío.

¡Oh vosotros, del mundo, habitadores!,
contemplad mi tormento:
¿igualarse podrán ¡ah!, qué dolores
al dolor que yo siento?

Yo desterrado de la patria mía,
de una patria que adoro,
perdida miro su primer valía,
y sus desgracias lloro.

Hijos espurios y el fatal tirano
sus hijos han perdido,
y en campo de dolor su fértil llano
tienen ¡ay!, convertido.

Tendió sus brazos la agitada España,
sus hijos implorando;
sus hijos fueron, mas traidora saña
desbarató su bando.

¿Qué se hicieron tus muros torreados?
¡Oh mi patria querida!
¿Dónde fueron tus héroes esforzados,
tu espada no vencida?

¡Ay!, de tus hijos en la humilde frente
está el rubor grabado:
a sus ojos caídos tristemente
el llanto está agolpado.

Un tiempo España fué: cien héroes fueron
en tiempos de ventura,
y las naciones tímidas la vieron
vistosa en hermosura.

Cual cedro que en el Líbano se ostenta,
su frente se elevaba;
como el trueno a la virgen amedrenta,
su voz las aterraba.

Mas ora, como piedra en el desierto,
yaces desamparada,
y el justo desgraciado vaga incierto
allá en tierra apartada.

Cubren su antigua pompa y poderío
pobre yerba y arena,
y el enemigo que tembló a su brío
burla y goza en su pena.

Vírgenes, destrenzad la cabellera
y dadla al vago viento:
acompañad con arpa lastimera
mi lúgubre lamento.

Desterrados ¡oh Dios!, de nuestros lares,
lloremos duelo tanto:
¿quién calmará ¡oh España!, tus pesares?,
¿quién secará tu llanto?

Londres, 1829.

SONETO

Fresca, lozana, pura y olorosa,
gala y adorno del pensil florido,
gallarda puesta sobre el ramo erguido,
fragancia esparce la naciente rosa;
    mas si el ardiente sol lumbre enojosa
vibra del can en llamas encendidos,
el dulce aroma y el color perdido,
sus hojas lleva el aura presurosa.
    Así brilló un momento mi ventura
en alas del amor, y hermosa nube
fingí tal vez de gloria y de alegría;
    mas ¡ay!, que el bien trocóse en amargura,
y deshojada por los aires sube
la dulce flor de la esperanza mía.

A UNA ESTRELLA

¿Quién eres tú, lucero misterioso,
tímido y triste entre luceros mil,
que cuando miro tu esplendor dudoso,
turbado siento el corazón latir?
    ¿Es acaso tu luz recuerdo triste
de otro antiguo perdido resplandor,
cuando engañado como yo creíste
eterna tu ventura que pasó?
    Tal vez con sueños de oro la esperanza
acarició tu pura juventud,
y gloria y paz y amor y venturanza
vertió en el mundo tu primera luz.

Y al primer triunfo del amor primero
que embalsamó en aromas el Edén,
luciste acaso, mágico lucero,
protector del misterio y del placer.
    Y era tu luz voluptüosa y tierna
la que entre flores resbalando allí,
inspiraba en el alma un ansia eterna
de amor perpetuo y de placer sin fin.
    Mas ¡ay!, que luego el bien y la alegría
en llanto y desventura se trocó:
tu esplendor empañó niebla sombría;
sólo un recuerdo al corazón quedó.
    Y ahora melancólico me miras
y tu rayo es un dardo del pesar:
si amor aún al corazón inspiras,
es un amor sin esperanza ya.

———

    ¡Ay lucero!, yo te vi
resplandecer en mi frente,
cuando palpitar sentí
mi corazón dulcemente
con amante frenesí.

    Tu faz entonces lucía
con más brillante fulgor,
mientras yo me prometía
que jamás se apagaría
para mí tu resplandor.
    ¿Quién aquel brillo radiante
¡oh lucero!, te robó
que oscureció tu semblante,
y a mi pecho arrebató
la dicha en aquel instante?

    ¿O acaso tú siempre así
brillante y en mi ilusión
yo aquel esplendor te di
que amaba mi corazón,
lucero, cuando te vi?

    Una mujer adoré
que imaginara yo un cielo:

mi gloria en ella cifré,
y de un luminoso velo
en mi ilusión la adorné.

Y tú fuiste la aureola
que iluminaba su frente,
cual los aires arrebola
el fúlgido sol naciente,
y el puro azul tornasola.

Y astro de dicha y amores,
se deslizaba mi vida
a la luz de tus fulgores,
por fácil senda florida,
bajo un cielo de colores.

Tantas dulces alegrías,
tantos mágicos ensueños
   ¿dónde fueron?,
tan alegres fantasías,
deleites tan halagüeños,
   ¿qué se hicieron?

Huyeron con mi ilusión
para nunca más tornar,
   y pasaron,
y sólo en mi corazón
recuerdos, llanto y pesar
   ¡ay!, dejaron.

   y es la luz
¡Ah lucero!, tú perdiste
también tu puro fulgor,
   y lloraste;
también como yo sufriste,
y el crudo arpón del dolor
   ¡ay!, probaste.

¡Infeliz!, ¿por qué volví
de mis sueños de ventura
   para hallar
luto y tinieblas en ti,
y lágrimas de amargura
   que enjugar?

Pero tú conmigo lloras,
que eres el ángel caído
    del dolor,
y piedad llorando imploras,
y recuerdas tu perdido
    resplandor.

Lucero, si mi quebranto
oyes, y sufres cual yo,
    ¡ay!, juntemos
nuestras quejas, nuestro llanto:
pues nuestra gloria pasó
    juntos lloremos.

Mas hoy miro tu luz casi apagada,
y un vago padecer mi pecho siente:
que está mi alma de sufrir cansada,
seca ya de las lágrimas la fuente.

¡Quién sabe!..., tú recobrarás acaso
otra vez tu pasado resplandor,
a ti tal vez te anunciará tu ocaso
un oriente más puro que el del sol.

A mí tan sólo penas y amargura
me quedan en el valle de la vida;
como un sueño pasó mi infancia pura,
se agosta ya mi juventud florida.

Astro sé tú de candidez y amores
para el que luz te preste en su ilusión,
y ornado el porvenir de blancas flores,
sienta latir de amor su corazón.

Yo indiferente sigo mi camino
a merced de los vientos y la mar,
y entregado en los brazos del destino,
no me importa salvarme o zozobrar.

A JARIFA EN UNA ORGÍA

Trae, Jarifa, trae tu mano,
ven y pósala en mi frente,
que en un mar de lava hirviente
mi cabeza siento arder.
Ven y junta con mis labios
esos labios que me irritan,
donde aún los besos palpitan
de tus amantes de ayer.

¿Qué la virtud, la pureza?
¿Qué la verdad y el cariño?
Mentida ilusión de niño
que halagó mi juventud.
Dadme vino: en él se ahoguen
mis recuerdos; aturdida
sin sentir huya la vida;
paz me traiga el ataúd.

El sudor mi rostro quema,
y en ardiente sangre rojos
brillan inciertos mis ojos,
se me salta el corazón.
Huye, mujer; te detesto,
siento tu mano en la mía,
y tu mano siento fría,
y tus besos hielos son.

¡Siempre igual! Necias mujeres,
inventad otras caricias,
otro mundo, otras delicias,
o maldito sea el placer.
Vuestros besos son mentira,
mentira vuestra ternura.
Es fealdad vuestra hermosura,
vuestro gozo es padecer.

Yo quiero amor, quiero gloria,
quiero un deleite divino,
como en mi mente imagino,
como en el mundo no hay;

y es la luz de aquel lucero
que engañó mi fantasía,
fuego fatuo, falso guía
que errante y ciego me tray.

———

¿Por qué murió para el placer mi alma,
y vive aún para el dolor impío?
¿Por qué si yazgo en indolente calma,
siento, en lugar de paz, árido hastío?

¿Por qué este inquieto, abrasador deseo?
¿Por qué este sentimiento extraño y vago,
que yo mismo conozco un devaneo,
y busco aún su seductor halago?

¿Por qué fingirme amores y placeres
que cierto estoy de que serán mentira?
¿Por qué en pos de fantásticas mujeres
necio tal vez mi corazón delira,

si luego, en vez de prados y de flores,
halla desiertos áridos y abrojos,
y en sus sandios o lúbricos amores
fastidio sólo encontrará y enojos?

Yo me arrojé, cual rápido cometa,
en alas de mi ardiente fantasía:
do quier mi arrebatada mente inquieta
dichas y triunfos encontrar creía.

Yo me lancé con atrevido vuelo
fuera del mundo en la región etérea,
y hallé la duda, y el radiante cielo
vi convertirse en ilusión aérea.

Luego en la tierra la virtud, la gloria,
busqué con ansia y delirante amor,
y hediondo polvo y deleznable escoria
mi fatigado espíritu encontró.

Mujeres vi de virginal limpieza
entre albas nubes de celeste lumbre:

yo las toqué, y en humo su pureza
trocarse vi, y en lodo y podredumbre.

Y encontré mi ilusión desvanecida
y eterno e insaciable mi deseo:
palpé la realidad y odié la vida;
sólo en la paz de los sepulcros creo.

Y busco aún y busco codicioso,
y aun deleites el alma finge y quiere:
pregunto y un acento pavoroso
"¡Ay!, me responde, desespera y muere.

"Muere, infeliz: la vida es un tormento,
un engaño el placer, no hay en la tierra
paz para ti, ni dicha, ni contento,
sino eterna ambición y eterna guerra.

"Que así castiga Dios el alma osada,
que aspira loca, en su delirio insano,
de la verdad para el mortal velada
a descubrir el insondable arcano."

———

¡Oh!, cesa; no, yo no quiero
ver más, ni saber ya nada;
harta mi alma y postrada,
sólo anhela descansar.

En mí muera el sentimiento
pues ya murió mi ventura,
ni el placer ni la tristura
vuelvan mi pecho a turbar.

Pasad, pasad en óptica ilusoria
y otras jóvenes almas engañad:
nacaradas imágenes de gloria,
coronas de oro y de laurel, pasad.

Pasad, pasad, mujeres voluptuosas,
con danza y algazara en confusión;
pasad como visiones vaporosas
sin conmover ni herir mi corazón.

Y aturdan mi revuelta fantasía
los brindis y el estruendo del festín,
y huya la noche y me sorprenda el día
en un letargo estúpido y sin fin.

Ven, Jarifa; tú has sufrido
como yo; tú nunca lloras;
mas ¡ay triste!, que no ignoras
cuán amarga es mi aflicción.
Una misma es nuestra pena,
en vano el llanto contienes...
tú también, como yo, tienes
desgarrado el corazón.

A DON DIEGO DE ALVEAR

SOBRE LA MUERTE DE SU AMADO PADRE

ELEGÍA

¿Qué es la vida?, ¡gran Dios! Plácida aurora;
cándida ríe entre arreboles cuando
brillante apenas esclarece un hora;

pálida luz y trémula oscilando,
baja al silencio de la tumba fría,
del pasado esplendor nada quedando;

allí la palma del valor sombría
marchítase, y allí la rosa pura
pierde el color y fresca lozanía;

no alcanza allí jamás de la ternura
el mísero gemido ni el lamento,
ni poder, ni riqueza, ni hermosura.

Sobre yertos cadáveres su asiento
erige, y huella la implacable muerte
armas, arados, púrpuras sin cuento.

Mísero Albino, doloroso vierte
lágrimas de amargura: a par contigo
yo gemiré también tu infausta suerte.

Y si el nombre dulcísimo de amigo,
si un tierno corazón alcanza tanto,
tus penas ¡ay!, consolarás conmigo.

El tormento, el dolor, la pena, el llanto
debidos son de un hijo cariñoso
al triste padre de quien fué el encanto.

Mas no siempre con lluvias caudaloso
el valle anega montaraz torrente,
ni encrespa el mar sus olas borrascoso:

no siempre el labrador tímido siente
el trueno aterrador, ni al aire mira
desprenderse veloz rayo luciente.

Ahora lamenta, sí, tierno suspira,
desahogo que dió naturaleza;
que el pecho al suspirar tal vez respira.

Lágrimas sólo el áspera dureza
calman del infortunio: ellas la herida
bálsamos son que cura y su crudeza.

¡Cuánto sería mísera la vida
si, envuelta con el llanto, la amargura
no brotara del alma dolorida!

Trocada en melancólica dulzura,
sólo queda después tierna memoria
y aun halla el pecho gozo en su tristura.

Tú así lo probarás: ya la alta gloria
de tu padre recuerdes, coronada
su frente del laurel de la victoria;

o ya vibrando la terrible espada,
en medio al ancho piélago, triunfante,
miedo y terror de la francesa armada;

o el arnés descendido de diamante,
en oliva pacífica trocando
el hierro en las batallas centellante.

Aun hoy miro a los vientos flaméando
las ricas apresadas banderolas,
augusta insignia del francés infando;

y aun hoy resuenan las medrosas olas,
al azotar de Cádiz la alta almena,
de sus glorias a par las españolas.

Tintas en propia sangre y sangre ajena,
en la sañuda lid siempre miraron
brillar su frente impávida y serena;

y en torno amedrentadas rebramaron
cuando, al morir sus prendas más amadas,
impávido también le contemplaron.

Cayeron a su vista, y casi ahogadas
las vió tenderle los ansiosos brazos,
y súbito al profundo sepultadas;

y en desigual combate hecho pedazos,
aún su corazón altivo y fuerte
del anglo esquiva los indignos lazos.

Busca con ansia entre la lid la muerte,
y huye la muerte de él, y ¿quién, quién pudo
penetrar los secretos de la suerte?

Nuevo y dulce placer, más dulce nudo
grata le guarda su feliz ventura
cuando más de favor se cree desnudo.

¡Cuánto gozo sin fin!, ¡cuánta ternura
probó en los brazos de su nueva esposa
el beso al recibir de su dulzura!

Ya agradable a su prole numerosa,
vuelto otra vez a los paternos lares,
daba lecciones de virtud piadosa.

Ya calmaba del triste los pesares
con labio afable y generosa mano,
ya llevaba la paz a sus hogares.

Y en tanta dicha, el corazón ufano
de lágrimas colmado y bendiciones,
tornaba alegre el venerable anciano

los timbres a aumentar de sus blasones:
a vosotros sus hijos animaba
recordando sus ínclitas acciones.

Y en todos juntos renacer miraba,
de nombre a par, su antigua lozanía,
y tierno en contemplaros se gozaba.

¿Por qué tú, ¡oh muerte!, arrebataste impía
al que de tantos tristes la ventura
y el noble orgullo de la patria hacía?

Fuente a eterno llorar abrió tu dura
mano, y tu saña y cólera cebaste
a un tiempo en la inocencia y la hermosura.

¿Y qué cítara triste habrá que baste
lúgubre a resonar en sordo acento
cual de su dulce esposa lo arrancaste?

La noble faz serena, el pecho exento
de tormento roedor, dulce y tranquilo
dió entre sus hijos su postrer aliento.

Y ya cayendo de la parca al filo,
cual se oscurece el sol en Occidente.
va del sepulcro al sosegado asilo.

Gemidos oigo y lamentar doliente,
y el ronco son de parches destemplados
y el crujir de las armas juntamente.

Marchan en pos del féretro soldados
con tardo paso y armas funerales
al eco de los bronces disparados.

Y entre fúnebres pompas y marciales,
en la morada de la muerte augusta
las bóvedas retumban sepulcrales.

¡Ay! Para siempre ya la losa adusta,
¡oh caro Albino!, le escondió a tus ojos;.
mas no el bueno murió: la parca injusta

roba tan sólo efímeros despojos,
y alta y triunfante la alcanzada gloria
guarda en eternos mármoles la historia.

A LA SEÑORA DE TORRIJOS

ROMANCE

Yo sé que estás enojada,
y sé la razón, señora,
que de cortés caballero
falté a la palabra honrosa.

No trato de disculparme,
si es mi falta mucha o poca:
sólo sé que no he cumplido
con mi deber, y esto sobra:

mas yo sé que en perdonar
amables ojos se gozan,
que si antes bellos parecen,
mas bellos son si perdonan.

Tú en mí perdona un culpado,
que harto es mi culpa penosa;
lleve en mi falta el castigo,
que él iba en mi falta propia.

Perdóname; así en tus brazos
ojalá estreches gozosa
al que terror del tirano,
el libre pendón tremola;

al que, en los mares de Alcides,
el astro sigue de gloria
con el ánimo invencible
que ningún peligro doma.

¡Ojalá pronto le abraces,
y le ciñas las coronas
que de laurel a los héroes
tejen Minerva y Belona!

Y en tanto que sus hazañas
la fama al mundo pregona,
tú con plácida sonrisa
admite mi humilde trova;

y espera que pronto el día
llegará de la victoria,
y darás más altas canciones,
a par con él venturosa.

París, 1830.

OCTAVA REAL

El estandarte ved que en Ceriñola
el gran Gonzalo desplegó triunfante,
la noble enseña ilustre y española
que al indio domeñó y al mar de Atlante;
regio pendón que al aire se tremola,
don de CRISTINA, enseña relumbrante,
verla podremos en la lid reñida
rasgada sí, pero jamás vencida.

A MATILDE

Aromosa blanca viola,
pura y sola en el pensil,
embalsama regalada
la alborada del Abril.

Junto al margen florecido
de escondido manantial,
sólo avisa de su estancia
su fragancia virginal.

Allí el aura sosegada,
con callada timidez,
hiere apenas cariñosa
su donosa candidez.

Silencioso el arroyuelo,
con recelo besa el pie,
y no dice su ternura
ni murmura su desdén.

Y su imagen mira en ella
la doncella con rubor,
que es la viola pudorosa
flor hermosa del candor.

Tal, Matilde, brilla pura
tu hermosura celestial,
y es más plácida tu risa
que la brisa matinal.

Nunca turbe con enojos
los tus ojos el amor;
siempre añada tu alegría
lozanía a tu esplendor.

Y el que brilla refulgente
claro oriente de tu edad,
nube impura no mancille,
siempre brille tu beldad.

Mas si gala al bosque umbrío
el rocío suele dar,
porque aumente así tu encanto,
vierte el llanto de piedad.

Y, venida tú del cielo
por consuelo al infeliz,
brillarás modesta y sola
cual la viola del Abril.

Londres, 1832.

A...

MADRIGAL

Son tus labios un rubí
partido por gala en dos,
arrancado para ti
de la corona de un dios.

A UN RUISEÑOR

Canta en la noche, canta en la mañana,
ruiseñor, en el bosque tus amores;
canta, que llorará cuando tú llores
el alba perlas en la flor temprana.

Teñido el cielo de amaranto y grana.
la brisa de la tarde entre las flores
suspirará también a los rigores
de tu amor triste y tu esperanza vana.

Y en la noche serena, al puro rayo
de la callada luna, tus cantares
los ecos sonarán del bosque umbrío.

Y vertiendo dulcísimo desmayo,
cual bálsamo süave en mis pesares,
endulzará tu acento el labio mío.

ROMANCE

Raya la naciente luna
en la cumbre del Oreb,
y armado un fuerte guerrero
en la campiña se ve.

Al melancólico rayo
brilla una cruz en su arnés;
paladín es que defiende
la santa Jerusalén.

Del Jordán camina al paso.
siguiendo el curso tal vez,
ricamente enjaezado
su gallardo palafrén.

En tanto a su encuentro sale
un árabe en su corcel,
con lanza corta y alfanje
y reluciente pavés.

Al trotar crujen sus armas,
y el paladín, que le ve,
suelta al caballo la rienda
y arranca contra el infiel.

Pronto el árabe se apresta,
ganoso de gloria y prez,
y, el diestro brazo a la espalda,
tira gallardo a ofender.

La lanza vuela silbando,
y del cristiano a los pies,
perdido el tiro, penetra,
la tierra haciendo tremer.

"Ríndete, moro, le grita,
tu recio furor detén,
yo soy Ricardo." — "¿Qué importa,
si yo soy Abenamet?"

Y un bárbaro golpe fiero
le descarga al responder,
y su alfanje damasquino
el yelmo taja a cercén.

Ya un hacha tremenda agita
sañudo el monarca inglés,
que hiende el turbante, y hiende
la cabeza del infiel;

hacha grave que ninguno
de cuantos visten arnés,
ni aun puestas entrambas manos,
pudiera apenas mover.

A CAROLINA CORONADO

DESPUÉS DE LEÍDA SU COMPOSICIÓN "A LA PALMA"

Dicen que tienes trece primaveras
y eres portento de hermosura ya,
y que en tus grandes ojos reverbera
la lumbre de los astros inmortal.

Juro a tus plantas que insensato he sido
de placer en placer corriendo en pos,
cuando en el mismo valle hemos nacido,
niña gentil, para adorarnos, dos.

Torrentes brota de armonía el alma;
huyamos a los bosques a cantar;
dénos la sombra tu inocente *palma,*
y reposo tu virgen *Soledad.*

Mas ¡ay! perdona, virginal capullo;
cierra tu cáliz a mi loco amor;
que nacimos de un aura al mismo arrullo,
para ser, yo el insecto, tú la flor.

LA VUELTA DEL CRUZADO

El que ansioso de alta gloria
joven dejó sus hogares
y, lanzándose a los mares,
voló a buscar la victoria;

vencedor del turco fiero,
vuelve el valiente cruzado,
del sol el rostro tostado
y tinto en sangre el acero.

Allí, su lanza en la lid
dió a su renombre esplendor,
y le cantó el trovador
como a impávido adalid:

Ora vuelve, en su semblante
con cicatrices de heridas
en honra y pro recibidas
de la que adora constante:

Tal vez al verle a su reja
le desconozca la hermosa
que sensible y cuidadosa
oyó otro tiempo su queja:

Mas si no vuelve de Oriente,
cual antes joven y hermoso,
vuelve intrépido y brioso
y ornada en lauros la frente.

Y las lunas abatidas
de los árabes altivos,
cien caballos, cien cautivos,
cien cimitarras vencidas.

El soldado de Sión
rendirá ante su hermosura
y con humilde ternura
su constante corazón.

Que por la cruz y en su honor
ha alcanzado la victoria,
y su nombre y su memoria
realzó en la lid su valor.

Y buscando donde ir
a hacer su nombre famoso,
vuelve a sus pies venturoso
sus laureles a rendir.

SERENATA

Despierta, hermosa señora,
señora del alma mía:
den luz a la noche umbría
tus ojos que soles son.
Despierta, y si acaso sientes
tu corazón conmovido,
es que responde al latido
de mi amante corazón.
        Oye mi voz.
La flor más pura y galana
que el abril fecundo adora,
al despuntar de la aurora
perfuma el primer albor:
pero es mil veces más puro
de tu boca el blando aliento

si perfuma en torno el viento
tierno suspiro de amor.
            Oye mi voz.
    Adiós, mis dulces amores,
que, envidiosa el alba fría,
ya raya en Oriente el día
por turbar nuestro placer:
adiós, señora: mi alma
dejo, al partirme, contigo:
amante triste, maldigo,
Aurora, tu rosicler,
            guárdame fe.

CANCIÓN BÁQUICA

¡Oh! ¡caiga el que caiga! ¡más vino! ¡brindemos!
A aquel que más beba loores sin fin:
con pámpanos ricos su frente adornemos,
aplausos cantemos al rey del festín.

            Alegres los ojos,
            borracho el semblante,
            la copa espumante
            en alto a brindar:
            rebosen los labios
            en risas y vino,
            y al néctar divino
            dé fuerza el azahar.

Coro.— *¡Oh! ¡caiga el que caiga!*, etc.

            Volcanes requeman
            mi frente encendida;
            más alma, más vida
            crecer siento en mí:
            torrentes de vino
            las mesas esmalten,
            en mil piezas salten
            cien copas y mil.

Coro — *¡Oh! ¡caiga el que caiga!*, etc.

Fosfórico el globo
en torno a mí gira,
su asiento retira
la tierra a mis pies:
y al aire en confuso
rumor me levantan
furiosos que cantan
al Chipre y Jerez.

Coro.— *¡Oh! ¡caiga el que caiga!*, etc.

FRAGMENTO

Y a la luz del crepúsculo serena,
solos vagar por la desierta playa,
cuando allá, mar adentro, en su faena
cantos de amor el marinero ensaya,
y besa blandamente el mar 'ı arena,
la luna en calma al horizonte raya,
y la brisa que tímida suspira,
dulces aromas y frescor respira.

Y húmedos ver sus ojos de ternura,
que abren al alma enamorada un cielo,
extáticos de amor y de dulzura
con blando, vago y doloroso anhelo;
magia el amor prestando a su hermosura,
y el pensamiento detenido el vuelo
allí donde encontró la fantasía
ciertas las dichas que soñó algún día.

Y respirar su perfumado aliento,
y al rumor palpitar de sus vestidos,
penetrar su amoroso pensamiento
y contar de su pecho los latidos,
exhalar de infinito sentimiento
tiernos suspiros, lánguidos gemidos,
mientras a libar sus néctares provoca
blanda sonrisa en la entreabierta boca.

A LA DEGRADACIÓN DE EUROPA

Miseria y avidez, dinero y prosa,
en vil mercado convertido el mundo,
los arranques del alma generosa
poniendo a precio inmundo,
cuando tu suerte y tu esplendor preside
un mercader que con su vara mide
el genio y la virtud, mísera Europa,
y entre el lienzo vulgar que bordó de oro
muerto tu antiguo lustre y tu decoro,
como a un cadáver fétido te arropa.

Cuando a los ojos blanqueada tumba
centro es tu corazón de podredumbre,
cuando la voz en ti ya no retumba,
vieja Europa, del héroe ni el profeta,
ni en ti refleja su encantada lumbre
del audaz entusiasmo del poeta,
yerta tu alma y sordos tus oídos,
con prosaico afanar en tu miseria,
arrastrando en el lodo tu materia,
sólo abiertos al lucro tus sentidos,
¿quién te despertará? ¿qué nuevo acento,
cual la trompeta del extremo día,
dará a tu inerte cuerpo movimiento
y entusiasmo a tu alma y lozanía?

¡Ah! ¿solitario entre cenizas frías
mudas rüinas, aras profanadas
y antiguos derrüidos monumentos,
me sentaré, segundo Jeremías,
mis mejillas con lágrimas bañadas,
y romperé en estériles lamentos?

No, que la inútil soledad dejando,
la ciudad populosa
con férrea voz recorreré cantando
y agitará la gente temerosa,
como el bramido de huracán los mares
el son de mis fatídicos cantares.

No; yo alzaré la voz de los profetas;
tras mí la alborotada muchedumbre,
sonarán en mi acento las trompetas

que derriben la inmensa pesadumbre
del regio torreón que al vicio esconde,
y el mundo me dirá en dónde
el precio vil de infame mercancía
del agiotista en la podrida boca
avaricioso oía.
    ¿Qué importa, si provoca
mi voz la befa de las almas viles,
morir qué importa en tan gloriosa lucha,
qué importa, envidia, que tu diente afiles?
Yo cantaré: la humanidad me escucha;
yo volaré donde la tumba oculta
la antigua gloria y esplendor del mundo;
yo con mi mano arrancaré la losa,
removeré la tierra que sepulta
semilla de virtud, polvo fecundo,
la ceniza de un héroe generosa,
y en medio el mundo, en la anchurosa plaza
de la gran capital, ante los ojos
de su dormida, degradada raza
arrojando sus pálidos despojos,
¡oh avergonzados! gritaré a la gente.
¡Oh, de los hombres despreciable escoria,
venid, doblad la envilecida frente,
un cadáver no más es vuestra gloria!

A UNA CIEGA

Sobre inmensa montaña de vapores
hay, hermosa, un gigante bienhechor,
que rige mundos y que inspira amores,
y pisa estrellas, de la luz señor.

Cíñele un cielo la encendida frente,
nubes le dan espléndido festín,
y en él, dormido entre fulgor candente,
gózase Dios ....

Campos colora al derramarse en oro,
oro del manto del excelso Dios,
o al inundar de aljofarado lloro
mar por la tierra dividido en dos.

¡El mar! ¡El mar! tendido sobre el mundo
cual faja movediza de cristal,
sube a los cielos, lánzase al profundo,
o manso brilla como azul cendal.

Se aíra al verse de color sangriento
teñido el manto por el sol cruel;
llega la noche, sórbelo sediento,
véngase así de enemigo aquel.

Y cuando silba el aquilón bravío,
tirando el guante de discordia atroz,
muge rabioso, acepta el desafío,
llama a sus ondas, álzase feroz.

El espacio es palenque, ellos guerreros,
el orbe concurrencia, Dios el Juez;
suena el clarín, empuñan los aceros,
y avánzase a alcanzar victoria y prez.

....
....
....
....

No llores, no, hermosa mía,
porque no ves ora el día,
ni con sus olas de plata
el mar que el cielo retrata:

No llores, no mujer, ángel del cielo,
mientras pueda mi lira hacerse oír,
porque cubra a tus ojos denso velo
de negras sombras su oriental zafir.

Yo sobre el mundo, sobre el mar y el viento,
sobre los cielos y la tierra estoy,
mundos y cielos sin cesar invento
porque hacia el mundo de los vates voy.

¿Quieres ver, al fulgor de ardiente rayo,
lucir el sol, dormir la tempestad,
zumbar el trueno y florecer a Mayo,
todo a un tiempo radiante de verdad?

¿O quieres ver en el dormido espacio,
sólo, deidad, para servirte a ti,
de cristal y de mármol un palacio
coronado de zafiros por mí?

¡Todo a tus pies!, y en tanto, ¿qué te importan
esos seres que vagan en montón,
y entre el placer y entre el festín acortan
su torpe vida en torpe confusión?

Hermosa ciega, con tu fiel poeta
ven en valle magnífico a habitar;
valle que el gozo y el dolor respeta,
¡donde puedes reír!... ¡puedes llorar!...

Yo te diré cuándo al nacer la aurora
derrama por el campo su fulgor;
yo te diré cuándo la noche llora
lágrimas de tinieblas y de horror.

Mas descúbrese el velo de escarlata
que a tus ojos de amor tirano fué:
¿Lloras? ¿Lloras? El gozo te arrebata:
¡Gracias! ¡gracias, gran Dios! ¡mi amada ve!

¿Me dices que estoy pálido? No, hermosa,
no te contriste mi amarilla faz:
tus ojos, tú, la teñiréis de rosa,
color de vida de placer y paz.

Llamas bello al jardín: está bien, velo;
bello será, pero se olvida al fin,
si no está allí con tu hermosura el cielo,
si tú no estás, oh flor, en el jardín.

LAS QUEJAS DE SU AMOR

Bellísima parece
al vástago prendida,
gallarda y encendida
de Abril la linda flor;

empero muy más bella
la virgen ruborosa
se muestra, al dar llorosa
las quejas de su amor.

Süave es el acento
de dulce amante lira,
si al blando son suspira
de noche el trovador;
pero aún es más süave
la voz de la hermosura
si dice con ternura
las quejas de su amor.

Grato es en noche umbría
al triste caminante
del alma radïante
mirar el resplandor;
empero es aún más grato
al alma enamorada
oír de su adorada
las quejas de su amor.

A GUARDIA

SONETO

Astro de libertad brilla en el cielo
y aumenta el lustre a la española gloria,
tú que de esta morada transitoria
a morada mejor alzaste el vuelo,
    los ojos vuelve a nuestro amargo duelo,
tributo merecido a tu memoria,
tú, cuyo nombre vivirá en la historia
timbre y honor del madrileño suelo.
    Descansa, ¡oh Guardia!, en paz; la tiranía
cayó vencida en la inmortal refriega,
e imitar tu valor ansiamos fieles;
    descansa, y tiemble la caterva impía.
que en los sagrados túmulos que riega
el llanto popular, crecen laureles.

AL DOS DE MAYO

¡Oh! ¡Es el pueblo! ¡Es el pueblo! Cual las olas
del hondo mar alborotado brama:
las esplendentes glorias españolas,
su antigua prez, su independencia aclama.

Hombres, mujeres vuelan al combate;
el volcán de sus iras estalló:
sin armas van; pero en sus pechos late
un corazón colérico español.

La frente coronada de laureles,
con el botín de la vencida Europa,
con sangre hasta las cinchas los corceles,
en cien campañas veterana tropa;

los que el rápido Volga ensangrentaron,
los que humillaron a sus pies naciones,
y sobre las pirámides pasaron
al galope veloz de sus bridones;

a eterna lucha, a sin igual batalla,
Madrid provoca en su encendida ira;
su pueblo inerme allí, entre la metralla
y entre las sables, reluchando gira.

Graba en su frente luminosa huella
la lumbre que destella el corazón,
y a parar con sus pechos se atropella
el rayo del mortífero cañón.

¡Oh de sangre y valor glorioso día!
Mis padres cuando niño me contaron
sus hechos, ¡ay!, y en la memoria mía
santos recuerdos de virtud quedaron.

—"Entonces —indignados me decían—
cayó el trono español, pedazos hecho;
por precio vil a extraños nos vendían
desde el de Carlos profanado lecho.

"La corte del monarca disoluta.
prosternada a las plantas de un Privado,
sobre el seno de impura prostituta
al trono de los reyes ensalzado.

"Sobre coronas, tronos y tiaras
su orgullo sólo y su capricho ley;
hordas de sangre y de conquista avaras,
cada soldado un absoluto rey.

"Fijo en España el ojo centelleante,
en Pirene a salvar pronto el bridón,
al Rey de reyes, al audaz gigante
ciegos ensalzan, siguen en montón."

Y vosotros, ¿qué hicisteis entretanto,
los de espíritu flaco y alta cuna?
Derramar como hembras débil llanto,
o adular bajamente a la fortuna.

Buscar tras la extranjera bayoneta,
seguro a vuestras vidas y muralla,
y siervos viles a la plebe inquieta
con baja lengua apellidar *canalla*.

¡Canalla!, sí ¡vosotros los traidores,
los que negáis al entusiasmo ardiente
su gloria, y nunca visteis los fulgores
con que ilumina la inspirada frente!

¡Canalla!, sí, ¡los que en la lid alarde
hicieron de su infame villanía,
disfrazando su espíritu cobarde
con la sana razón segura y fría!

¡Oh!, la *canalla*, la *canalla* en tanto
arrojó el grito de venganza y guerra,
y arrebatada en su entusiasmo santo,
quebrantó las cadenas de la tierra.

Del cetro de sus reyes los pedazos
del suelo ensangrentado recogía,
y un nuevo trono, en sus robustos brazos
levantando, a su príncipe ofrecía.

Brilla el puñal en la irritada mano,
huye el cobarde, y el traidor se esconde;
truena el cañón, y el grito castellano
de *Independencia* y *Libertad* responde.

Héroes de Mayo, levantad las frentes;
sonó la hora, y la venganza espera;
id, y hartad vuestra sed en los torrentes
de sangre de Bailén y Talavera.

Id, saludad los héroes de Gerona,
alzad con ellos el radiante vuelo,
y a los de Zaragoza alta corona
ceñir, que aumente el esplendor del cielo.

Mas ¡ay!, ¿por qué, cuando los ojos brotan
lágrimas de entusiasmo y alegría,
y el alma, atropellados, alborotan
tantos recuerdos de honra y valentía,

negra nube en el alma se levanta,
que turba y oscurece los sentidos;
fiero dolor el corazón quebranta,
y se ahoga la voz entre gemidos?

¡Oh! ¡Levantad la frente carcomida,
mártires de la gloria,
que aún arde en ella con eterna vida
la luz de la victoria!

¡Oh! ¡Levantadla del eterno sueño,
y con los huecos de los ojos fijos,
contemplad una vez con torvo ceño
la vergüenza y baldón de vuestros hijos!

Quizá en vosotros donde el fuego arde
del castellano honor, aún sobre vida
para alentar el corazón cobarde,
y abrasar esta tierra envilecida.

¡Ay! ¿Cuál fué el galardón de vuestro celo,
de tanta sangre y bárbaro quebranto,
de tan heroica lucha y tanto anhelo,
tanta virtud y sacrificio tanto?

El trono que erigió vuestra bravura,
sobre huesos de héroes cimentado,
un rey ingrato, de memoria impura,
con eterno baldón dejó manchado.

¡Ay!, para herir la libertad sagrada
el príncipe, borrón de nuestra historia,
llamó en su ayuda la francesa espada,
que segase el laurel de vuestra gloria.

Y vuestros hijos de la muerte huyeron,
y esa sagrada tumba abandonaron;
hollarla ¡oh Dios!, a los franceses vieron,
y hollarla a los franceses les dejaron.

Como la mar tempestüosa, ruge
la losa al choque de los cráneos duros:
tronó y se alzó con indignado empuje,
del galo audaz bajo los pies impuros.

Y aun hoy helos allí que su semblante
con hipócrita máscara cubrieron,
y a Luis Felipe, en muestra suplicante,
ambos brazos ¡imbéciles!, tendieron.

La vil palabra *¡Intervención!*, gritaron,
y del Rey mercader la reclamaban,
de nuestros timbres sin honor mofaron,
mientras en su impudor se encenagaban.

Hoy esa raza degradada, espuria,
pobre nación, que esclavizarte anhela,
busca también, por renovar tu injuria,
de extranjeros monarcas la tutela.

Tumba vosotros sois de nuestra gloria,
de la antigua hidalguía,
del castellano honor, que en la memoria
sólo nos queda hoy día.

Verted, juntando las dolientes manos,
lágrimas ¡ay!, que escalden la mejilla;
mares de eterno llanto, castellanos,
no bastan a borrar vuestra mancilla.

Llorad como mujeres; vuestra lengua
no osa lanzar el grito de venganza;
apáticos vivís en tanta mengua,
y os cansa el brazo el peso de la lanza.

¡Oh! En el dolor eterno que me inspira,
el pueblo en torno avergonzado calle,
y estallando las cuerdas de mi lira,
roto también mi corazón estalle.

CANTO DEL CRUZADO

(SIN CONCLUIR)

Ya tarde en la noche la luna escondía,
cercana a Occidente, su lívida faz,
y al Norte entre nubes relámpago ardía
que el cielo inundaba de lumbre fugaz.

El Tajo sus ondas con ronco bramido
despeña, y el eco redobla el fragor,
el bosque se mece con sordo rüido,
de negras tormentas fatal precursor.

Al fuego que el raudo relámpago extiende,
que el monte y la selva parece abrasar,
un hombre a caballo la margen desciende
y al trote se sienten sus armas sonar.

Tal vez a su paso con viva vislumbre
la cruz en su escudo radiante brilló;
mas luego en tinieblas la rápida lumbre
al hombre y caballo consigo ocultó.

De un monte en la altura levanta su frente
soberbio castillo de ilustre señor;
brillantes antorchas le adornan luciente
y de arpas y fiestas se escucha el rumor.

Abiertas las rejas, las luces se agitan,
y alegre banquete se deja entrever;
los néctares dulces al júbilo excitan
y a cien caballeros cantando a beber.

Del arpa sonora los dulces concentos
aplauden con bravos y vivas sin fin;
y en coro resuenan alegres acentos,
en alto las copas a honor del festín.

Mas luego en silencio la mágica lira,
vibrada süave, se torna a escuchar,
y sigue a su acento, que plácido inspira,
la voz regalada de aqueste cantar.

Cual negra fantasma que en forma medrosa
que tímida virgen de noche aterró,
así en la alta cumbre del monte escabrosa
el hombre a caballo veloz pareció.

Al pie del castillo llegando el guerrero,
alegre relincha su noble trotón;
la rienda recoge, desmonta ligero
y para y escucha sonar la canción.

Era la noche, y la luna
melancólica brillaba
con pálida luz süave
en el jardín de la Alhambra.

En su soledad se goza
la hermosísima Zoraida,
la más bella de las moras,
la adorada de Abenámar.

Tan sólo rompe el silencio
entre las flores el aura
que dulcemente las mueve
y sus perfumes exhala.

Allí, vagando en silencio,
sus pensamientos halagan
mil imágenes sabrosas,
mil cumplidas esperanzas.

Mas ¿qué estruendo de trompetas
toca a rebato en Granada,
y entre el confuso alboroto
retumba el grito de alarma?

Zoraida escucha y suspira,
que al son de guerra, Abenámar,
el más bravo de los moros,
es el primero que marcha.

Ya cerca escucha las trompas
de las huestes castellanas,
y relinchos, y carreras,
y el batir de las espadas.

Precipitada a una reja,
sube la mora al alcázar,
y por la vega anchurosa
tiende la vista agitada.

Inquieta, atento el oído,
tiembla al crujir de las armas,
cual tímido cervatillo
si el viento agita las ramas.

En tu ventana la noche
todo lo espera azorada;
ya el estruendo y voces crecen,
ya poco a poco se callan.

Era el rumor: los guerreros
vuelven en triunfo a Granada.

Gallardo en las lides
cayó el vencedor;
¡ay!, llora, Zoraida,
tu triste amador.
su voz moribunda
tu nombre exhaló,
y al pecho espirante
tu banda estrechó,
ya el bardo a su gloria
levanta la voz;
eterno su nombre
dirá el trovador.
Gallardo en las lides
calló el vencedor;
¡ay!, llora, Zoraida,
tu triste amador.

El arpa acompaña, callado ya el canto,
con lánguidos trinos la trova gentil,
cual dulce en la selva, con plácido encanto,
el eco modulan las auras de Abril.

Y luego cien arpas resuenan, y el coro
los nobles entonan cantando a la vez,
y el fin malogrado del ínclito moro
envidian, y ensalzan su amor y su prez.

En tanto, el viajero que el cántico oía,
con fuerza en las puertas la lanza chocó,
y allá en las almenas al punto el vigía:
—¿Quién llama a estos muros? —falaz respondió—

—Asilo en la noche demanda un guerrero
que errante camina —gritó el paladín.
—Abridle —de adentro sonó un caballero—.
Y encuentre acogida y asiento al festín.

Las gruesas cadenas que el puente suspenden,
con ronco sonido se sienten crujir,
y bajan el puente, y algunos descienden,
armados guerreros las puertas a abrir.

—El nombre —le dicen— nos muestre el soldado.
—Mi nombre —responde— me es fuerza ocultar;
saber es bastante que soy un cruzado
que vuelve de tierras allende del mar.

So un manto sencillo de cándido lino,
do roja aparece la espléndida cruz,
su rostro y sus armas cubrió el paladino,
sus ojos tan sólo dejando a la luz.

En ellos ostenta con pura altiveza,
fijándolos firmes, intrépido ardor;
mas luego se apaga con fría tristeza
dejando al descuido su vivo fulgor.

En tanto, dos pajes, sirviendo de guía,
conducen al huésped adentro el salón,
y sale a su encuentro con faz de alegría,
dejando el convite, gallardo infanzón.

La mano, por muestra de dar bienvenida,
tendiéndole, dice: —Llegado aquí en paz,
os dé mi castillo sabrosa acogida
y halléis con nosotros placer y solaz.

El huésped, en tanto que el noble le hablaba,
mantiene los ojos clavados en él,
así que en su rostro semblanza encontraba
que antiguos recuerdos preséntanle fiel.

—¿Sois vos —le pregunta— gentil castellano,
de aquesta comarca tal vez el señor?
¿Sois vos el que llaman el conde Lozano,
honor de Castilla, del moro terror?

El noble, modesto, responde al guerrero:
—Yo soy el que llaman cual me decís.
Empero la fama de mi nombre...
mas alto que nunca tal vez merecí.

Entrad con nosotros, partid el contento,
heroico soldado de la alta Sión;
dirás de tus viajes el plácido cuento,
y oiremos tus hechos con paz y atención.

—Mi vida y mis hechos —el huésped responde—
ansiara yo mismo por siempre olvidar—:
y dice, y su rostro moreno le esconde
la nube sombría de negro pesar.

Del sol de la Libia quemado el semblante,
sus ojos un punto flamantes se ven:
mas luego se apaga su brillo al instante,
y al fuego que lanza sucede el desdén.

Con hondo suspiro prosigue el cruzado,
bajando los ojos con triste mirar:
—Delante el sepulcro de Dios he jurado
mi historia y mi nombre jamás confiar.

Así he prometido robarme el consuelo
que acaso los hombres al mísero dan;
así hasta que quiera por último el cielo,
que baje a la tumba conmigo mi afán—.

Su voz, su mirada, su rostro turbado
profundo misterio parece encubrir;
el Conde en silencio le sienta a su lado
sin más sus desdichas forzarle a decir.

Alguno le mira fijándole atento,
que piensan su pecho tal vez sondear;
mas sólo su vista le da el pensamiento
que es hombre que el riesgo no duda arrostrar.

En tanto que el huésped, así indiferente,
se vuelve a su estado de triste inacción,
el conde Lozano anima su gente
mandando que entonen alegre canción.

Las copas henchidas del néctar sabroso
se vieron al punto volar alredor;
y el arpa vibrando con eco armonioso
asi dulcemente cantó el trovador:

LA VUELTA DEL CRUZADO

El soldado de Sión,
vencedor del turco fiero,
vuelve, valiente cruzado,
del sol el rostro tostado
y en sangre tinto su acero.

El que ansioso de gloria,
joven dejó sus hogares,
y, lanzándose a los mares,
voló a buscar la victoria.

Allí su lanza en la lid
dió a su renombre esplendor,
y le cantó el trovador
cual intrépido adalid.

Y aun en su noble semblante
muestra señales de heridas
en honra y pro recibidas
de la que adora constante.

Tal vez al verle a sus rejas
le desconozca la hermosa
que sensible y cuidadosa
oyó otro tiempo sus quejas.

Mas si no vuelve de Oriente,
cual antes, joven hermoso,
vuelve, cual siempre, amoroso,
y ornada en lauros la frente.

Y las lunas abatidas
de los árabes altivos,
sin caballos los cautivos,
las cimitarras vencidas.

El soldado de Sión
rendirá ante su hermosura,
y con humilde ternura,
su constante corazón.

Y si amorosa un momento
le mirase con dulzura,
tendra completa ventura
su mas alto pensamiento.

Y tendrá por muy dichosa
de su destino la estrella
si le devuelve su bella
siempre tierna y cariñosa.

Que por la cruz y en su honor
ha alcanzado la victoria,
y su amor y su memoria
alzó en la lid su valor.

Y buscando donde ir
a hacer su nombre famoso,
vuelve a sus pies venturoso
sus laureles a rendir.

—A fe —dijo un noble, ya el canto acabado—
que son muy leales esclavos de amor
los bravos guerreros del templo sagrado,
segun en sus versos pinto el trovador.

Que dicen hermosas que son las mujeres
que adornan las tierras do se alza Lalén,
y ofrece el Oriente gustosos placeres,
y todos los miran con tibio desdén.

—No brillan mujeres allá en Palestina—
responde un guerrero— cual brillan aquí;
yo pongo que nunca mujer más divina
se vió, que la hermosa que adora el Zegrí.

—Ximena es más bella —repuso un mancebo,
moviendo los ojos con fiero mirar—;
yo rompo una lanza por ella, y lo pruebo,
cualquiera en su contra se muestre a lidiar.

El conde al momento: —Más bella es mi esposa,
la reina en las justas de amor y beldad;
yo pongo que es ella más noble y hermosa,
y acepto en la arena probar la verdad.

—Cualquiera que venza será venturoso—
repuso un anciano—...
empero el semblante hará más hermoso
de aquella que adora su noble valor.

Que allá cuando hervía mi pecho valiente
con ansia amorosa y ardor juvenil,
recuerdo con pena que anubla mi frente,
y aún hace a mi pecho turbado latir.

Que así por mi dama vibrando mi espada
en negra contienda de honrar la beldad,
tendido a mis plantas de fiera estocada,
mi amigo más caro probó mi crueldad.

Vosotros, hermanos en armas, y amigos,
de España, esperanza, mancebos de pro.
¡oh!, no querrá el cielo lidiéis enemigos
por causa tan leve presente aquí yo.

Penosos recuerdos, eterno tormento
quien hiera a su amigo por pago tendrá,
y siempre turbado doquier su contento
la sombra del muerto delante hallará.

Allá vuestra espada brillando en la mano,
se cruce al alfanje que en sangre crüel
regó el desolado campo castellano,
y arranque a su frente antiguo laurel.

Volved por las armas si algún caballero
con lengua villana se atreve a su honor,
o bien si el osado moteja altanero
sus mismos galanes de poco valor.

Que entonces la honra exige que muerto,
o quede el que el duelo audaz provocó,
o que ante testigos confiese el entuerto
que con sus palabras o acciones causó.

Tomad mi consejo y usad de prudencia;
al noble extranjero nombrad vuestro juez;
mostradle las damas y dadle sentencia;
ninguno, valientes, contienda otra vez.

Llegado de climas y tierras lejanas,
do ha visto las bellas de cada país,
a un lado dejando pretensiones vanas,
no dudo que todos en él convenís.

Y aquel que aún sostega tenaz su porfía,
y dude a esta prueba tan fácil ceder,
por cierto en su dama muy poco confía,
y no por muy bella la debe tener.

REVOLUCIONES DEL GLOBO

FRAGMENTO LÍRICO

Mil siglos han rodado
en columnas de fuego sobre el mundo,
y el mundo amedrentado
ha visto, presagiando su caída.
De la nada en el piélago profundo
media creación hundida.

Cimbráronse los polos
bajo la inmensa mano

del gigante huracán, y el peregrino
entre el betún volcánico, ya en vano
el escombro del *Etna* pulveriza
para hallar entre pálida ceniza
el mosaico fulgente de Herculano.
¿Dónde estuvo la Atlántida? —Buscadla
en el fondo del férvido oceano,
sin norte los navíos
que en sus playas recónditas surgieron,
las férreas anclas a la mar botaron
y entre escombros de Atlántida se hundieron
y en las torres de Atlántida clavaron.

SOLEDAD DEL ALMA

Mi alma yace en soledad profunda,
árida, ardiente, en inquietud continua,
cual la abrasada arena del desierto
que el seco viento de la Libia agita.
Eterno sol sus encendidas llamas
doquier sin sombra fatigoso vibra;
y aire de fuego en el quemado yermo
bebe mi pecho y con afán respira.
Cual si compuesto de inflamadas ascuas
mi corazón hirviéndome palpita,
y mi sangre agolpada por mis venas
con seco ardor calenturienta gira.
En vano busco la floresta umbrosa
o el manantial del agua cristalina:
el bosque umbrío, la apacible fuente
lejos de mí, burlando mi fatiga,
huyen y aumentan mi fatal tormento
falaces presentándose a mi vista.
¡Triste de mí!, de regalada sombra,
de dulces aguas, de templada brisa,
en fértil campo de verdura y flores
con grata calma disfruté yo un día;
cual abre el cáliz de fragancia lleno
cándida rosa en la estación florida,
fresco rocío regaló mi alma
abierta a la esperanza y las delicias.

IMITACIÓN DEL CANTAR
DE LOS CANTARES

Aunque mi zagal pulido
es rey grande y yo pastora,
él allá en su corte mora,
y yo en el campo florido;
supuesto que quiso amarme
y consigo desposarme,
yo soy de casta real.
        Tal para cual
somos yo y el mi zagal.

Si él es lirio, yo soy rosa,
yo soy nardo, él mi azucena,
mi blanco él, yo su morena,
él mi hermoso, yo su hermosa,
él es bello y yo soy bella,
él mi sol, yo soy su estrella,
él cielo y yo celestial.
        Tal para cual
somos yo y el mi zagal.

Él es rey, y yo soy reina,
si do pisa nacen flores,
mi huella produce olores,
y oro peino si oro peina:
él es mío y suya soy,
dame el alma y se la doy
pagándole por igual.
        Tal para cual
somos yo y el mi zagal.

                    Ego dilecto meo et dilectus meus mihi.

ROMANCES

Ya al férvido trono
del cenit subía,
en la refulgente
carroza divina,
el claro monarca
del alegre día,

de las emboscadas
aguas cristalinas,
do en grutas sombrosas,
repuestas y frías,
en plácido sueño
reposan las ninfas,
al son de las hojas,
del aura mecidas,
y rumor sonoro
de la clara linfa,
en lecho de césped
huyendo la estiva
sazón calurosa
de grata fatiga
en tranquila calma
.... delicia
.. ..
Entonces con dulces
imágenes vivas
y mágicos cuadros,
mi mente se agita
y vuela arrobada
.. ..
Y pienso que en otros
apartados climas,
moradas felices
de perpetua dicha,
en ricas mansiones
de variada vista,
que allá entre jardines
nacaradas brillan,
corriendo discurro
con planta atrevida,
y pienso que cruzo
florestas umbrías,
do luz regalada
por siempre ilumina;
Absorto contemplo,
surcada de ninfas,
gentil en belleza,
la amable poesía,
de rosas y lauros
la frente ceñida;

allí a engalanarla
las ciencias caminan;
relumbra en su mano
la antorcha de vida
que antiguas hazañas
y yertas cenizas,
y mundos y soles
las ciencias se humillan;
y pienso que lejos,
allá en gruta umbría,
resuenan süaves
mil voces divinas,
al par que con arpas,
con dulce armonía
y plácidos trinos,
las almas hechizan:
    y en grata esperanza,
feliz, a mí mismo
me digo yo absorto:
    —¡Dichoso, si unido
mi dulce Villalta,
gozara conmigo!
    ¡Ay!, ven al campestre
pacífico asilo;
y allá entre las nubes
gozoso imagino
divisar las sombras
de heroicos caudillos
que en nobles combates
vieran otros siglos,
blasón de la patria,
terror de enemigos,
que hueste sangrienta
de Pelayo mismo,
triunfante arrullando
pendones moriscos,
y también del fiero
Guzmán, el cuchillo
brillar sobre el cuello
del mísero niño,
y aquellos valientes,
de Gerona invictos,
los de Zaragoza

sobre escombros miro,
el águila hollando
del galo temido,
y en Bailén, ¡oh patria!,
y en tantos conflictos,
heroicos por siempre,
tus ínclitos hijos.
¡Oh, no!, jamás piensen
los siervos indignos
que sufran cadenas
los íberos mismos
que el timbre alcanzaron
de honor y heroísmo
¡Ay!, ven al campestre
pacífico asilo.
¡Oh tú!, de las musas
alumno querido,
y al orbe arrebate
tu canto divino,
y anime a los pueblos
a llevar el grito
de patria y de gloria.
De súbito heridos
de noble entusiasmo
que inflama tus himnos;
tal vez de tu lira
los mágicos trinos
harán que yo eleve
cantando contigo,
de empresa tan noble
acentos más dignos:
y entonces si al lauro
poético ciño
y allá en los vergeles
del frondoso Pindo
mi nombre entallado
en troncos floridos
veré por las ninfas
del plácido río,
y tuya mi gloria,
será mi destino
dichoso por siempre
viviendo contigo.

EL ESTUDIANTE DE SALAMANCA

PARTE PRIMERA

Sus fueros sus bríos,
Sus premáticas su voluntad.
DON QUIJOTE.—*Parte primera.*

Era más de medianoche
antiguas historias cuentan,
cuando en sueño y en silencio
lóbrega envuelta la tierra,
los vivos muertos parecen,
los muertos la tumba dejan.
Era la hora en que acaso
temerosas voces suenan
informes, en que se escuchan
tácitas pisadas huecas,
y pavorosas fantasmas
entre las densas tinieblas
vagan, y aúllan los perros
amedrentados al verlas:
en que tal vez la campana
de alguna arruinada iglesia
da misteriosos sonidos
de maldición y anatema,
que los sábados convoca
a las brujas a su fiesta.
El cielo estaba sombrío,
no vislubraba una estrella,
silbaba lúgubre el viento,
y allá en el aire, cual negras
fantasmas, se dibujaban
las torres de las iglesias,
y del gótico castillo
las altísimas almenas,

donde canta o reza acaso
temeroso el centinela.
Todo en fin a medianoche
reposaba, y tumba era
de sus dormidos vivientes
la antigua ciudad que riega
el Tormes, fecundo río,
nombrado de los poetas,
la famosa Salamanca,
insigne en armas y letras,
patria de ilustres varones,
noble archivo de las ciencias.
Súbito rumor de espadas
cruje y un ¡ay!, se escuchó;
un ay moribundo, un ay
que penetra el corazón
que hasta los tuétanos hiela
y da al que lo oyó temblor.
Un ¡ay!, de alguno que al mundo
pronuncia el último adiós.

El ruido
cesó,
un hombre
pasó
embozad,
y el sombrero
recatado
a los ojos
se caló.
Se desliza
y atraviesa
junto al muro
de una iglesia
y en la sombra
se perdió.

Una calle estrecha y alta,
la calle del Ataúd,
cual si de negro crespón
lóbrego eterno capuz
la vistiera, siempre oscura
y de noche sin más luz

que la lámpara que alumbra
una imagen de Jesús,
atraviesa el embozado
la espada en la mano aún,
que lanzó vivo reflejo
al pasar frente a la cruz.

Cual suele la luna tras lóbrega nube
con franjas de plata bordarla en redor,
y luego si el viento la agita, la sube
disuelta a los aires en blanco vapor:

así vaga sombra de luz y de nieblas,
mística y aérea dudosa visión,
ya brilla, o la esconden las densas tinieblas
cual dulce esperanza, cual vana ilusión.

La calle sombría, la noche ya entrada,
la lámpara triste ya pronta a expirar,
que a veces alumbra la imagen sagrada
y a veces se esconde la sombra a aumentar.

El vago fantasma que acaso aparece
y acaso se acerca con rápido pie,
y acaso en las sombras tal vez desparece,
cual ánima en pena del hombre que fué,

al más temerario corazón de acero
recelo inspirara, pusiera pavor;
al más maldiciente feroz bandolero
el rezo a los labios trajera el temor.

Mas no al embozado, que aún sangre su espada
destila, el fantasma terror infundió,
y, el arma en la mano con fuerza empuñada,
osado a su encuentro despacio avanzó.

Segundo don Juan Tenorio,
alma fiera e insolente,
irreligioso y valiente,
altanero y reñidor:
Siempre el insulto en los ojos,
en los labios la ironía,

nada teme y todo fía
de su espada y su valor.

Corazón gastado, mofa
de la mujer que corteja,
y, hoy despreciándola, deja
la que ayer se le rindió.
Ni el porvenir temió nunca,
ni recuerda en lo pasado,
la mujer que ha abandonado,
ni el dinero que perdió.

Ni vió el fantasma entre sueños
del que mató en desafío,
ni turbó jamás su brio
recelosa previsión.
Siempre en lances y en amores,
siempre en báquicas orgias,
mezcla en palabras impías
un chiste a una maldición.

———

En Salamanca famoso
por su vida y buen talante,
al atrevido estudiante
le señalan entre mil;
fuero le da su osadía,
le disculpa su riqueza,
su generosa nobleza,
su hermosura varonil.

Que en su arrogancia y sus vicios,
caballeresca apostura,
agilidad y bravura
ninguno alcanza a igualar:
Que hasta en sus crímenes mismos,
en su impiedad y altiveza,
pone un sello de grandeza
don Félix de Montemar.

———

Bella y más pura que el azul del cielo
con dulces ojos lánguidos y hermosos,
donde acaso el amor brilló entre el velo
del pudor que los cubre candorosos;
tímida estrella que refleja al suelo
rayos de luz brillantes y dudosos,
ángel puro de amor que amor inspira
fué la inocente y desdichada Elvira.

Elvira, amor del estudiante un día,
tierna y feliz y de su amante ufana,
cuando al placer su corazón se abría,
como al rayo del sol rosa temprana;
de aquel fingido amor que la mentía,
la miel falaz que de sus labios mana
bebe en su ardiente sed, el pecho ajeno
de que oculto en la miel hierve el veneno.

Que no descansa de su madre en brazos
más descuidado el candoroso infante,
que ella en los falsos lisonjeros lazos
que teje astuto el seductor amante:
dulces caricias, lánguidos abrazos,
placeres; ay!, que duran un instante,
que habrán de ser eternos imagina
la triste Elvira en su ilusión divina.

Que el alma virgen que halagó un encanto
con nacarado sueño en su pureza,
todo lo juzga verdadero y santo,
presta a todo virtud, presta belleza.
Del cielo azul al tachonado manto,
del sol radiante a la inmortal riqueza,
al aire, al campo, a las fragantes flores,
ella añade esplendor, vida y colores.

Cifró en don Félix la infeliz doncella
toda su dicha, de su amor perdida;
fueron sus ojos a los ojos de ella
astros de gloria, manantial de vida.
Cuando sus labios con sus labios sella,
cuando su voz escucha embebecida,
embriagada del dios que la enamora,
dulce le mira, extática le adora.

PARTE SEGUNDA

...Except the hollow sea's,
Mourns o'er the beauty of the Cyclades.
BYRON.—*Don Juan*, canto 4. LXXII.

Está la noche serena,
de luceros coronada,
terso el azul de los cielos
como transparente gasa.

Melancólica la luna
va trasmontando la espalda
del otero: su alba frente
tímida apenas levanta,

y el horizonte ilumina,
pura virgen solitaria,
y en su blanca luz süave
el cielo y la tierra baña.

Deslízase el arroyuelo
fúlgida cinta de plata
al resplandor de la luna,
entre franjas de esmeralda.

Argentadas chispas brillan
entre las espesas ramas,
y en el seno de las flores
tal vez aduermen las auras.

Tal vez despiertas susurran,
y al desplegarse sus alas,
mecen el blanco azahar,
mueven la aromosa acacia,

y agitan ramas y flores
y en perfumes se embalsaman:
tal era pura esta noche
como aquella en que sus alas

Los ángeles desplegaron
sobre la primera llama
que amor encendió en el mundo.
del Edén en la morada.

¡Una mujer! ¿Es acaso
blanca silfa solitaria,
que entre el rayo de la luna
tal vez misteriosa vaga?

Blanco es su vestido, ondea
suelto el cabello a la espalda.
Hoja tras hoja las flores
que lleva en su mano, arranca.

En su paso incierto y tardo,
inquietas son sus miradas,
mágico ensueño parece
que halaga engañosa el alma.

Ora, vedla, mira al cielo,
ora suspira, y se para:
una lágrima sus ojos
brotan, acaso, y abrasa

su mejilla; es una ola
del mar que en fiera borrasca
el viento de las pasiones
ha alborotado en su alma.

Tal vez se sienta, tal vez
azorada se levanta;
el jardín recorre ansiosa,
tal vez a escuchar se para.

Es el susurro del viento,
es el murmullo del agua,
no es su voz, no es el sonido
melancólico del arpa.

Son ilusiones que fueron:
recuerdos ¡ay! que te engañan,
sombras del bien que pasó...
ya te olvidó el que tú amas.

esa noche y esa luna
las mismas son que miraran
indiferentes tu dicha,
cual ora ven tu desgracia.

¡Ah llora sí, pobre Elvira!
¡Triste amante abandonada!
Esas hojas de esas flores
que distraída tú arrancas,

¿sabes adónde, infeliz,
el viento las arrebata?
Donde fueron tus amores,
tu ilusión y tu esperanza.

Deshojadas y marchitas,
¡pobres flores de tu alma!

———

Blanca nube de la aurora,
teñida de ópalo y grana,
naciente luz te colora,
refulgente precursora
de la cándida mañana.

Mas ¡ay!, que se disipó
tu pureza virginal,
tu encanto el aire llevó
cual la ventana ideal
que el amor te prometió.

Hojas del árbol caídas
juguetes del viento son:
las ilusiones perdidas,
¡ay!, son hojas desprendidas
del árbol del corazón.

¡El corazón sin amor!
Triste páramo cubierto

con la lava del dolor,
oscuro inmenso desierto
donde no nace una flor!

Distante un bosque sombrío,
el sol cayendo en la mar,
en la playa un aduar,
y a lo lejos un navío
viento en popa navegar;

óptico vidrio presenta
en fantástica ilusión,
y al ojo encantado ostenta
gratas visiones, que aumenta
rica la imaginación.

Tú eres, mujer, un fanal
transparente de hermosura:
¡ay de ti!, si por tu mal
rompe el hombre en su locura
tu misterioso cristal.

Mas ¡ay!, dichosa tú, Elvira,
en tu misma desventura,
que aún deleites te procura
cuando tu pecho suspira,
tu misteriosa locura:

que es la razón un tormento,
y vale más delirar
sin juicio, que el sentimiento
cuerdamente analizar,
fijo en él el pensamiento.

———

Vedla, allí va que sueña en su locura
presente el bien que para siempre huyó.
Dulces palabras con amor murmura:
piensa que escucha al pérfido que amó.

Vedla, postrada su piedad implora
cual si presente le mirara allí:
vedla, que sola se contempla y llora,
miradla delirante sonreír,

Y su frente en revuelto remolino
ha enturbiado su loco pensamiento,
como nublo que en negro torbellino
encubre el cielo y amontona el viento,

y vedla cuidadosa escoger flores,
y las lleva mezcladas en la falda,
y, corona nupcial de sus amores,
se entretiene en tejer una guirnalda.

Y en medio de su dulce desvarío
triste recuerdo el alma le importuna,
y al margen va del argentado río,
y allí las flores echa de una en una;

y las sigue su vista en la corriente,
una tras otra rápidas pasar,
y confusos sus ojos y su mente
se siente con sus lágrimas ahogar:

y de amor canta, y en su tierna queja
entona melancólica canción,
canción que el alma desgarrada deja,
lamento ¡ay!, que llaga el corazón.

———

¿Qué me valen tu calma y tu terneza,
tranquila noche, solitaria luna,
si no calmáis del hado la crudeza,
ni me dais esperanza de fortuna?
¿Qué me valen la gracia y la belleza,
y amar como jamás amó ninguna,
si la pasión que el alma me devora,
la desconoce aquel que me enamora?

———

Lágrimas interrumpen su lamento,
inclinan sobre el pecho su semblante,
y de ella en derredor susurra el viento
sus últimas palabras, sollozante.

....
....
....
....

Murió de amor la desdichada Elvira,
cándida rosa que agostó el dolor,
suave aroma que el viajero aspira
y en sus alas el aura arrebató.

Vaso de bendición, ricos colores
reflejó en su cristal la luz del día,
mas la tierra empañó sus resplandores,
y el hombre lo rompió con mano impía.

Una ilusión acarició su mente:
alma celeste para amar nacida,
era el amor de su vivir la fuente,
estaba junto a su ilusión su vida.

Amada del Señor, flor venturosa,
llena de amor murió y de juventud:
despertó alegre una alborada hermosa,
y a la tarde durmió en el ataúd.

Mas despertó también de su locura
al término postrero de su vida,
y al abrirse a sus pies la sepultura,
volvió a su mente la razón perdida.

¡La razón fría!, ¡la verdad amarga!,
¡el bien pasado y el dolor presente!...
¡Ella feliz!, que de tan dura carga
sintió el peso al morir únicamente!

Y conociendo ya su fin cercano,
su mejilla una lágrima abrasó;
y así al infiel con temblorosa mano,
moribunda su víctima escribió:

"Voy a morir: perdona si mi acento
vuela importuno a molestar tu oído:
él es, don Félix, el postrer lamento
de la mujer que tanto te ha querido.
La mano helada de la muerte siento...
Adiós, ni amor ni compasión te pido...
Oye y perdona si al dejar el mundo,
arranca un ¡ay!, su angustia al moribundo,

"¡ah!, para siempre adiós. Por ti mi vida
dichosa un tiempo resbalar sentí,
y la palabra de tu boca oída,
éxtasis celestial fué para mí.
Mi mente aún goza la ilusión querida
que para siempre ¡mísera!, perdí...
¡Ya todo huyó, despareció contigo!
¡Dulces horas de amor, yo las bendigo!

"Yo las bendigo, sí, felices horas,
presentes siempre en la memoria mía,
imágenes de amor encantadoras,
que aún vienen a halagarme en mi agonía.
Mas ¡ay!, volad, huid, engañadoras
sombras, por siempre; mi postrero día
ha llegado: perdón, perdón. ¡Dios mío!,
si aún gozo en recordar mi desvarío.

"Y tú, don **Félix**, si te causa enojos
que te recuerde yo mi desventura,
piensa están hartos de llorar mis ojos
lágrimas silenciosas de amargura,
y hoy, al tragar la tumba mis despojos,
concede este consuelo a mi tristura:
estos renglones compasivo mira,
y olvida luego para siempre a Elvira.

"Y jamás turbe mi infeliz memoria
con amargos recuerdos tus placeres;
goces te dé el vivir, triunfos la gloria,
dichas el mundo, amor otras mujeres:
y si tal vez mi lamentable historia
a tu memoria con dolor trajeres,
llórame, sí; pero palpite exento
tu pecho de roedor remordimiento.

"Adiós por siempre, adiós: un breve instante
siento de vida, y en mi pecho el fuego
aún arde de mi amor; mi vista errante
vaga desvanecida... ¡calma luego,
oh muerte, mi inquietud!... ¡Sola... expirante!...
Ámame: no, perdona: ¡inútil ruego!
Adiós, adiós, ¡tu corazón perdí!
—¡Todo acabó en el mundo para mí!"

Así escribió su triste despedida
momentos antes de morir, y al pecho
se estrechó de su madre dolorida,
que en tanto inunda en lágrimas su lecho.

Y exhaló luego su postrer aliento,
y a su madre sus brazos se apretaron
con nervioso y convulso movimiento,
y sus labios un nombre murmuraron.

Y huyó su alma a la mansión dichosa
do los ángeles moran... Tristes flores
brota la tierra en torno de su losa,
el céfiro lamenta sus amores.

Sobre ella un sauce su ramaje inclina,
sombra le presta en lánguido desmayo,
y allá en la tarde, cuando el sol declina,
baña su tumba en paz su último rayo...

PARTE TERCERA

CUADRO DRAMÁTICO

Sarg. ¿Tenéis más que parar?
Franco. Paro los ojos.
....
Los ojos sí, los ojos: que descreo
Del que los hizo para tal empleo.

MORETO.—*San Francisco de Sena.*

PERSONAS

DON FÉLIX DE MONTEMAR.
DON DIEGO DE PASTRANA.
SEIS JUGADORES.

En derredor de una mesa
hasta seis hombres están,
fija la vista en los naipes,
mientras juegan al parar;

y en sus semblantes se pintan
el despecho y el afán;
por perder desesperados,
avarientos por ganar.

Reina profundo silencio,
sin que lo rompa jamás
otro ruido que el del oro,
o una voz para jurar.

Pálida lámpara alumbra
con trémula claridad;
negras de humo las paredes
de aquella estancia infernal

Y el misterioso bramido
se escucha del huracán,
que azota los vidrios frágiles
con sus alas al pasar.

ESCENA I

JUGADOR PRIMERO

El caballo aún no ha salido.

JUGADOR SEGUNDO

¿Qué carta vino?

JUGADOR PRIMERO

La sota.

JUGADOR SEGUNDO

Pues por poco se alborota.

JUGADOR PRIMERO

Un caudal llevo perdido:
¡Voto a Cristo!

JUGADOR SEGUNDO

No juréis,
que aún no estáis en la agonía.

JUGADOR PRIMERO

No hay suerte como la mía.

JUGADOR SEGUNDO

¿Y como cuánto perdéis?

JUGADOR PRIMERO

Mil escudos y el dinero
que don Félix me entregó.

JUGADOR SEGUNDO

¿Dónde anda?

JUGADOR PRIMERO

¡Qué sé yo!
No tardará.

JUGADOR TERCERO
Envido.

JUGADOR PRIMERO
Quiero.

ESCENA II

Galán de talle gentil,
la mano izquierda apoyada
en el pomo de la espada
y el aspecto varonil:

alta el ala del sombrero
porque descubra la frente,
con airoso continente
entró luego un caballero.

JUGADOR PRIMERO
(Al que entra.)
Don Félix, a buena hora
habéis llegado.

DON FÉLIX
¿Perdisteis?

JUGADOR PRIMERO
El dinero que me disteis
y esta bolsa pecadora.

JUGADOR SEGUNDO
Don Félix de Montemar
debe perder. El amor
le negará su favor
cuando le viera ganar.

DON FÉLIX
(Con desdén.)
Necesito ahora dinero
y estoy hastiado de amores.
(Al corro, con altivez.)

Dos mil ducados, señores,
por esta cadena quiero.
(Quítase una cadena que lleva al pecho.)

JUGADOR TERCERO

Alta ponéis la tarifa.

DON FÉLIX

(Con altivez.)
La pongo en lo que merece.
Si otra duda se os ofrece,
decid.
(Al corro.)
    Se vende y se rifa.

JUGADOR CUARTO

(Aparte.)
¿Y hay quien sufra tal afrenta?

DON FÉLIX

Entre cinco están hallados.
A cuatrocientos ducados
os toca, según mi cuenta.
Al as de oros. Allá va.
*(Va echando cartas, que toman los jugadores en
   silencio.)*
Uno, dos...
(Al perdidoso.)
    Con vos no cuento.

JUGADOR PRIMERO

Por el motivo lo siento.

JUGADOR TERCERO

¡El as! ¡El as! Aquí está.

JUGADOR PRIMERO

Ya ganó.

DON FÉLIX

    Suerte tenéis.
A un solo golpe de dados
tiro los dos mil ducados.

JUGADOR TERCERO

¿En un golpe?

JUGADOR PRIMERO

(A don Félix.)
                    Los perdéis.

DON FÉLIX

Perdida tengo yo el alma,
y no me importa un ardite.

JUGADOR TERCERO

Tirad.

DON FÉLIX

        Al primer envite.

JUGADOR TERCERO

Tirad pronto.

DON FÉLIX

            Tened calma:
que os juego más todavía,
y en cien onzas hago el trato,
y os lleváis este retrato
con marco de pedrería.

JUGADOR TERCERO

¿En cien onzas?

DON FÉLIX

            ¿Qué dudáis?

JUGADOR PRIMERO

(Tomando el retrato.)
¡Hermosa mujer!

JUGADOR CUARTO

            No es caro.

DON FÉLIX

¿Queréis pararlas?

JUGADOR TERCERO

                    Las paro.
Más ganaré.

DON FÉLIX

          Si ganáis *(Se registra todo.)*
no tengo otra joya aquí

JUGADOR PRIMERO

(Mirando el retrato.)
Si esta imagen respirara...

DON FÉLIX

A estar aquí la jugara
a ella, al retrato y a mí.

JUGADOR TERCERO

Vengan los dados.

DON FÉLIX

                    Tirad.

JUGADOR SEGUNDO

Por don Félix cien ducados.

JUGADOR CUARTO

En contra van apostados.

JUGADOR QUINTO

Cincuenta más. Esperad,
no tiréis.

JUGADOR SEGUNDO

          Van los cincuenta.

JUGADOR PRIMERO

Yo, sin blanca, a Dios le ruego
por don Félix.

JUGADOR QUINTO

                    Hecho el juego.

JUGADOR TERCERO

¿Tiro?

DON FÉLIX

Tirad con sesenta.
De a caballo.
*(Todos se agrupan con ansiedad alrededor de la
mesa. El tercer jugador tira los dados.)*

JUGADOR CUARTO

¿Qué ha salido?

JUGADOR SEGUNDO

¡Mil demonios, que a los dos
nos lleven!

DON FÉLIX

(Con calma al Primero.)
¡Bien, vive Dios!
Vuestros ruegos me han valido.
Encomendadme otra vez,
don Juan, al diablo; no sea
que si os oye Dios, me vea
cautivo y esclavo en Fez.

JUGADOR TERCERO

Don Félix, habéis perdido
sólo el marco, no el retrato,
que entrar la dama en el trato
vuestra intención no habrá sido.

DON FÉLIX

¿Cuánto dierais por la dama?

JUGADOR TERCERO

Yo, la vida.

DON FÉLIX

No la quiero.
Mirad si me dais dinero,
y os la lleváis.

JUGADOR TERCERO

¡Buena fama
lograréis entre las bellas
cuando descubran altivas,
que vos las hacéis cautivas
para en seguida vendellas!

DON FÉLIX

Eso a vos no importa nada.
¿Queréis la dama? Os la vendo.

JUGADOR TERCERO

Yo de pinturas no entiendo.

DON FÉLIX

(Con cólera.)
Vos habláis con demasiada
altivez e irreverencia
de una mujer... ¡Y si no!...

JUGADOR TERCERO

De la pintura hablé yo.

TODOS

Vamos, paz; no haya pendencia.

DON FÉLIX

(Sosegado.)
Sobre mi palabra os juego
mil escudos.

JUGADOR TERCERO

Van tirados.

DON FÉLIX

A otra suerte de esos dados;
y el diablo les prenda fuego.

ESCENA III

Pálido el rostro, cejijunto el ceño,
y torva la mirada, aunque afligida,
y en ella un firme y decidido empeño
de dar la muerte o de perder la vida,

un hombre entró embozado hasta los ojos,
sobre las juntas cejas el sombrero:
víbrale el rostro al corazón enojos,
el paso firme, el ánimo altanero.

Encubierta fatídica figura. —
Sed de sangre su espíritu secó,
emponzoñó su alma la amargura,
la venganza irritó su corazón.

Junto a don Félix llega — y desatento
no habla a ninguno, ni aun la frente inclina;
y en pie delante de él y el ojo atento,
con iracundo rostro le examina.

Miró también don Félix al sombrío
huésped que en él los ojos enclavó,
y con sarcasmo desdeñoso y frío
fijos en él los suyos, sonrió.

DON FÉLIX

Buen hombre, ¿de qué tapiz
se ha escapado —el que se tapa—,
que entre el sombrero y la capa
se os ve apenas la nariz?

DON DIEGO

Bien, don Félix, cuadra en vos
esa insolencia importuna.

DON FÉLIX

(Al Tercer jugador sin hacer caso de don Diego.)
Perdisteis.

JUGADOR TERCERO

Sí. La fortuna
se trocó: tiro y van dos.
(Vuelven a tirar.)

DON FÉLIX

Gané otra vez.
(Al embozado.)
         No he entendido
qué dijisteis, ni hice aprecio
de si hablasteis blando o recio
cuando me habéis respondido.

DON DIEGO

A solas hablar quería.

DON FÉLIX

Podéis, si os place, empezar,
que por vos no he de dejar
tan honrosa compañía.
Y si Dios aquí os envía
para hacer mi conversión,
no despreciéis la ocasión
de convertir tanta gente
mientras que yo humildemente
aguardo mi absolución.

DON DIEGO

(Desembozándose con ira.)
Don Félix, ¿no conocéis
a don Diego de Pastrana?

DON FÉLIX

A vos no, mas sí a una hermana
que imagino que tenéis.

DON DIEGO

¿Y no sabéis que murió?

DON FÉLIX

Téngala Dios en su gloria.

DON DIEGO

Pienso que sabéis su historia,
y quién fué quien la mató.

DON FÉLIX

(Con sarcasmo.)
¡Quizá alguna calentura!

DON DIEGO

¡Mentís vos!

DON FÉLIX

Calma, don Diego,
que si vos os morís luego,
es tanta mi desventura,
que aun me lo habrán de achacar,
y es en vano ese despecho.
Si se murió, a lo hecho, pecho,
ya no ha de resucitar.

DON DIEGO

Os estoy mirando y dudo
si habré de manchar mi espada
con esa sangre malvada,
o echaros al cuello un nudo
con mis manos, y con mengua,
en vez de desafiaros,
el corazón arrancaros
y patearos la lengua.
Que un alma, una vida, es
satisfacción muy ligera,
y os diera mil si pudiera
y os las quitara después.
Jugo a mi labio han de dar
abiertas todas tus venas,
que toda tu sangre apenas
basta mi sed a calmar.
¡Villano!
(Tira de la espada; todos los jugadores se inter-
   ponen.)

TODOS

Fuera de aquí
a armar quimera.

DON FÉLIX

(Con calma, levantándose.)
                        Tened,
don Diego, la espada, y ved
que estoy yo muy sobre mí,
y que me contengo mucho,
no sé por qué, pues tan frío
en mi colérico brío
vuestras injurias escucho.

DON DIEGO

(Con furor reconcentrado y con la espada desnuda.)
Salid de aquí; que a fe mía,
que estoy resuelto a mataros,
y no alcanzara a libraros
la misma virgen María.
Y es tan cierta mi intención,
tan resuelta está mi alma,
que hasta mi cólera calma
mi firme resolución.
Venid conmigo.

DON FÉLIX

      Allá voy;
pero si os mato, don Diego,
que no me venga otro luego
a pedirme cuenta. Soy
con vos al punto. Esperad
cuente el dinero... *Uno... Dos...*
(A don Diego.)
Son mis ganancias; por vos
pierdo aquí una cantidad
considerable de oro
que iba a ganar... ¿Y por qué?
Diez... Quince... Por no sé qué
cuento de amor... ¡Un tesoro
perdido!... Voy al momento.
Es un puro disparate
empeñarse en que yo os mate;
lo digo como lo siento.

DON DIEGO

Remiso andáis y cobarde
y hablador en demasía.

DON FÉLIX

Don Diego, más sangre fría:
para reñir nunca es tarde.
Y si aun fuera otro el asunto,
yo os perdonara la prisa;

pidierais vos una misa
por la difunta, y al punto...

DON DIEGO

¡Mal caballero!

DON FÉLIX

Don Diego,
mi delito no es gran cosa.
Era vuestra hermana hermosa.
la vi, me amó, creció el fuego,
se murió, no es culpa mía;
y admiro vuestro candor,
que no se mueren de amor
las mujeres de hoy en día.

DON DIEGO

¿Estáis pronto?

DON FÉLIX

Están contados.
Vamos andando.

DON DIEGO

¿Os reís?
(Con voz solemne.)
Pensad que a morir venís
(Don Félix sale tras de él, embolsándose el dinero con indiferencia.)

DON FÉLIX

Son mil trescientos ducados.

ESCENA IV

Los jugadores

JUGADOR PRIMERO

Este don Diego Pastrana
es un hombre decidido.
Desde Flandes ha venido
sólo a vengar a su hermana.

JUGADOR SEGUNDO

¡Pues no ha hecho mal disparate!
Me da el corazón su muerte.

JUGADOR TERCERO

¿Quién sabe? Acaso la suerte...

JUGADOR CUARTO

Me alegraré que lo mate.

PARTE CUARTA

Salió en fin de aquel estado para caer en el dolor más sombrío, en la más desalentada desesperación y en la mayor amargura y desconsuelo que pueden apoderarse de este pobre corazón humano, que tan positivamente choca y se quebranta con los males. como con vaguedad aspira en algunos momentos, casi siempre sin conseguirlo, a tocar los bienes ligeramente y de pasada.

MIGUEL DE LOS SANTOS ÁLVAREZ: *La protección de un sastre.*

SPIRITUS QUIDEM PROMTUS EST;
CARO VERO INFIRMA.

S. Marc. Evang.

Vedle, don Félix es espada en mano,
sereno el rostro, firme el corazón,
también de Elvira el vengativo hermano
sin piedad a sus pies muerto cayó.

Y con tranquila audacia se adelanta
por la calle fatal del Ataúd;
y ni medrosa aparición le espanta,
ni le turba la imagen de Jesús.

La moribunda lámpara que ardía
trémula lanza su postrer fulgor,
y en honda oscuridad, noche sombría
la misteriosa calle encapotó.

Mueve los pies el Montemar osado
en las tinieblas con incierto giro,
cuando ya un trecho de la calle andado,
súbito junto a él oye un suspiro.

Resbalar por su faz sintió el aliento,
y a su pesar sus nervios se crisparon;
mas pasado el primero movimiento,
a su primera rigidez tornaron.

"¿Quién va?", pregunta con la voz serena,
que ni finge valor, ni muestra miedo,
el alma de invencible vigor llena,
fiado en su tajante de Toledo.

Palpa en torno de sí, y el impío jura,
y a mover vuelve la atrevida planta,
cuando hacia él fatídica figura
envuelta en blancas ropas se adelanta.

Flotante y vaga, las espesas nieblas
ya disipa y se anima y va creciendo
con apagada luz, ya en las tinieblas
su argentino blancor va apareciendo.

Ya leve punto de luciente plata,
astro de clara lumbre sin mancilla,
el horizonte lóbrego dilata
y allá en la sombra en lontananza brilla.

Los ojos Montemar fijos en ella,
con más asombro que temor la mira;
tal vez la juzga vagarosa estrella
que en el espacio de los cielos gira.

Tal vez engaño de sus propios ojos,
forma falaz que en su ilusión creó,
o del vino ridículos antojos
que al fin su juicio a alborotar subió.

Mas el vapor del néctar jerezano
nunca su mente a trastornar bastara,
que ya mil veces embriagarse en vano
en frenéticas órgias intentara.

"Dios presume asustarme: ¡ojalá fuera,
dijo entre sí riendo, el diablo mismo!
Que entonces, vive Dios, quién soy supiera
el cornudo monarca del abismo."

Al pronunciar tan insolente ultraje
la lámpara del Cristo se encendió:
y una mujer velada en blanco traje,
ante la imagen de rodillas vió.

"Bienvenida la luz", dijo el impío,
"Gracias a Dios o al diablo"; y con osada,
firme intención y temerario brío,
el paso vuelve a la mujer tapada.

Mientras él anda, al parecer se alejan
la luz, la imagen, la devota dama,
mas si él se para, de moverse dejan:
y lágrima tras lágrima, derrama

de sus ojos inmóviles la imagen.
Mas sin que el miedo ni el dolor que inspira
su planta audaz, ni su impiedad atajen.
rostro a rostro a Jesús, Montemar mira.

—La calle parece se mueve y camina,
faltarle la tierra sintió bajo el pie;
sus ojos la muerta mirada fascina
del Cristo, que intensa clavada está en él.

Y en medio el delirio que embarga su mente,
y achaca él al vino que al fin le embriagó,
la lámpara alcanza con mano insolente
del ara do alumbra la imagen de Dios,

y al rostro la acerca, que el cándido lino
encubre, con ánimo asaz descortés;
mas la luz apaga viento repentino,
y la blanca dama se puso de pie.

Empero un momento creyó que veía
un rostro que vagos recuerdos quizá
y alegres memorias confusas traía
de tiempos mejores que pasaron ya.

Un rostro de un ángel que vió en un ensueño,
como un sentimiento que el alma halagó,
que anubla la frente con rígido ceño,
sin que lo comprenda jamás la razón.

Su forma gallarda dibuja en las sombras
el blanco ropaje que ondeante se ve,
y cual si pisara mullidas alfombras,
deslízase leve sin ruido su pie.

Tal vimos al rayo de la luna llena
fugitiva vela de lejos cruzar,
que ya la hinche en popa la brisa serena,
que ya la confunde la espuma del mar.

También la esperanza blanca y vaporosa
así ante nosotros pasa en ilusión,
y el alma conmueve con ansia medrosa
mientras la rechaza la adusta razón.

DON FÉLIX

"¡Qué! ¿Sin respuesta me deja?
¿No admitís mi compañía?
¿Será quizá alguna vieja
devota?... ¡Chasco sería!

En vano, dueña, es callar,
ni hacerme señas que no:
he resuelto que sí yo,
y os tengo de acompañar.

y he de saber dónde vais
y si sois hermosa o fea,
quién sois y cómo os llamáis.
Y aun cuando imposible sea,

y fuerais vos Satanás
con sus llamas y sus cuernos,
hasta en los mismos infiernos,
vos delante y yo detrás,

hemos de entrar, ¡vive Dios!,
y aunque lo estorbara el cielo,
que yo he de cumplir mi anhelo
aun a despecho de vos:

y perdonadme, señora,
si hay en mi empeño osadía,
mas fuera descortesía
dejaros sola a esta hora:

y me va en ello mi fama,
que juro a Dios no quisiera
que por temor se creyera
que no he seguido a una dama."

Del hondo del pecho profundo gemido,
crujido del vaso que estalla al dolor,
que apenas medroso lastima el oído,
pero que punzante rasga el corazón;

gemido de amargo recuerdo pasado,
de pena presente, de incierto pesar,
mortífero aliento, veneno exhalado
del que encubre el alma ponzoñoso mar;

gemido de muerte lanzó, y silenciosa
la blanca figura su pie resbaló,
cual mueve sus alas sílfide amorosa
que apenas las aguas del lago rizó.

¡Ay el que vió acaso perdida en un día
la dicha que eterna creyó el corazón,
y en noche de nieblas, y en honda agonía
en un mar sin playas muriendo quedó!...

Y solo y llevando consigo en su pecho,
compañero eterno su dolor crüel,
el mágico encanto del alma deshecho,
su pena, su amigo y su amante más fiel,

miró sus suspiros llevarlos el viento,
sus lágrimas tristes perderse en el mar,
sin nadie que acuda ni entienda su acento,
insensible el cielo y el mundo a su mal...

Y ha visto la luna brillar en el cielo
serena y en calma mientras él lloró,
y ha visto los hombres pasar en el suelo
y nadie a sus quejas los ojos volvió.

y él mismo, la befa del mundo temblando,
su pena en su pecho profunda escondió,
y dentro en su alma su llanto tragando
¡con falsa sonrisa su labio vistió!...

¡Ay! Quien ha contado las horas que fueron,
horas otro tiempo que abrevió el placer,
y hoy solo y llorando piensa cómo huyeron
con ellos por siempre las dichas de ayer;

y aquellos placeres, que el triste ha perdido,
no huyeron del mundo, que en el mundo están,
y él vive en el mundo do siempre ha vivido,
¡y aquellos placeres para él no son ya!

¡Ay! El que descubre por fin la mentira.
¡Ay! El que la triste realidad palpó,
el que el esqueleto de este mundo mira,
y sus falsas galas loco le arrancó...

¡Ay! Aquel que vive solo en lo pasado...
¡Ay! El que su alma nutre en su pesar,
las horas que huyeron llamara angustiado,
las horas que huyeron y no tornarán...

Quien haya sufrido tan bárbaro duelo,
quien noches enteras contó sin dormir
en lecho de espinas, maldiciendo al cielo,
horas sempiternas de ansiedad sin fin;

quien haya sentido quererse del pecho
saltar a pedazos roto el corazón;
crecer su delirio, crecer su despecho;
al cuello cien nudos echarle el dolor;

ponzoñoso lago de punzante hielo,
sus lágrimas tristes que cuajó el pesar,
reventando ahogarle, sin hallar consuelo,
ni esperanza nunca, ni tregua en su afán...
Aquél, de la blanca fantasma el gemido,
única respuesta que a don Félix dió,
hubiera, y su inmenso dolor, comprendido,
hubiera pesado su inmenso valor.

DON FÉLIX

"Si buscáis algún ingrato,
yo me ofrezco agradecido;
pero o miente ese recato,
o vos sufrís el mal trato
de algún celoso marido.

"¿Acerté? ¡Necia manía!
Es para volverme loco,
si insistís en tal porfía;

con los mudos, reina mía,
yo hago mucho y hablo poco.~

Segunda vez importunada en tanto,
una voz de süave melodía
el estudiante oyó que parecía
eco lejano de armonioso canto:

De amante pecho lánguido latido,
sentimiento inefable de ternura,
suspiro fiel de amor correspondido,
el primer sí de la mujer aún pura.

"Para mí los amores acabaron:
todo en el mundo para mí acabó:
los lazos que a la tierra me ligaron,
el cielo para siempre desató",

dijo su acento misterioso y tierno,
que de otros mundos la ilusión traía,
eco de los que ya reposo eterno
gozan en paz bajo la tumba fría.

Montemar, atento sólo a su aventura,
que es bella la dama y aun fácil juzgó,
y la hora, la calle y la noche oscura
nuevos incentivos a su pecho son.

—Hay riesgo en seguirme. —Mirad ¡qué reparo!
—Quizá luego os pese. —Puede que por vos.
—Ofendéis al cielo. —Del diablo me amparo.
—¡Idos, caballero, no tentéis a Dios!

—Siento me enamora más vuestro despego,
y si Dios se enoja, pardiez que hará mal:
véame en vuestros brazos y máteme luego.
—¡Vuestra última hora quizá ésta será!...

Dejad ya, don Félix, delirios mundanos.
—¡Hola, me conoce! —¡Ay! ¡Temblad por vos!
¡Temblad no se truequen deleites livianos
en penas eternas! —basta de sermon,

que yo para oírlos la cuaresma espero;
y hablemos de amores, que es más dulce hablar;
dejad ese tono solemne y severo,
que os juro, señora, que os sienta muy mal!

la vida es la vida: cuando ella se acaba,
acaba con ella también el placer.
¿De inciertos pesares por qué hacerla esclava?
Para mí no hay nunca mañana ni ayer.

Si mañana muero, que sea en mal hora
o en buena, cual dicen, ¿qué me importa a mí?
Goce yo el presente, disfrute yo ahora,
y el diablo me lleve si quiere al morir.

—¡Cúmplase en fin tu voluntad, Dios mío!—,
la figura fatídica exclamó:
y en tanto al pecho redoblar su brío
siente don Félix y camina en pos.

Cruzan tristes calles,
plazas solitarias,
arruinados muros,
donde sus plegarias
y falsos conjuros,
en la misteriosa
noche borrascosa,
maldecida bruja
con ronca voz canta,
y de los sepulcros
los muertos levanta,
y suenan los ecos
de sus pasos huecos
en la soledad;
mientras en silencio
yace la ciudad,
y en lúgubre son
arrulla su sueño
bramando Aquilón.

Y una calle y otra cruzan,
y más allá y más allá:
ni tiene término el viaje
ni nunca dejan de andar.

Y atraviesan, pasan, vuelven,
cien calles quedando atrás,
y paso tras paso siguen,
y siempre adelante van:
y a confundirse ya empieza
y a perderse Montemar,
que ni sabe a dó camina,
ni acierta ya dónde está:
y otras calles, otras plazas
recorre y otra ciudad,
y ve fantásticas torres
de su eterno pedestal
arrancarse, y sus macizas
negras masas caminar,
apoyándose en sus ángulos
que en la tierra, en desigual,
perezoso tronco fijan;
y a su monótono andar,
las campanas sacudidas
misteriosos dobles dan:
mientras en danzas grotescas,
y al estruendo funeral,
en derredor cien espectros
danzan con torpe compás:
y las veletas sus frentes
bajan ante él al pasar,
los espectros le saludan,
y en cien lenguas de metal,
oye su nombre en los ecos
de las campanas sonar.
Mas luego cesa el estrépito,
y en silencio, en muda paz
todo queda, y desparece
de súbito la ciudad:
palacios, templos, se cambian
en campos de soledad,
y en un yermo y silencioso
melancólico arenal,
sin luz, sin aire, sin cielo,
perdido en la inmensidad.
Tal vez piensa que camina,
sin poder parar jamás,
de extraño empuje llevado

con precipitado afán;
entretanto que su guía
delante de él sin hablar,
sigue misterioso, y sigue
con paso rápido, y ya
se remonta ante sus ojos
en alas del huracán,
visión sublime, y su frente
ve fosfórica brillar,
entre lívidos relámpagos
en la densa oscuridad,
sierpes de luz, luminosos
engendros del vendaval:
y cuando duda si duerme,
si tal vez sueña o está
loco, si es tanto prodigio,
tanto delirio verdad,
otra vez en Salamanca
súbito vuélvese a hallar,
distingue los edificios,
reconoce en dónde está,
y en su delirante vértigo
al vino vuelve a culpar,
y jura, y siguen andando
ella delante, él detrás.

"¡Vive Dios!, dice entre sí,
o Satanás se chancea,
o no debo estar en mí,
o el Málaga que bebí
en mi cabeza aún humea.

"Sombras, fantasmas, visiones...
dale con tocar a muerto,
y en revueltas confusiones,
danzando estos torreones
al compás de tal concierto.

"Y el juicio voy a perder
entre tantas maravillas,
que estas torres llegué a ver,
como mulas de alquiler,
andando con campanillas.

"¿Y esta mujer quién será?
Mas si es el diablo en persona,
¿a mí qué diantre me da?
Y más que el traje en que va
en esta ocasión, le abona.

"Noble señora, imagino
que sois nueva en el lugar:
andar así es desatino;
o habéis perdido el camino,
o esto es andar por andar.

"Ha dado en no responder,
que es la más rara locura
que puede hallarse en mujer,
y en que yo la he de querer
por su paso de andadura."

En tanto don Félix a tientas seguía,
delante camina la blanca visión,
triplica su espanto la noche sombría,
sus hórridos gritos redobla Aquilón.

Rechinan girando las férreas veletas,
crujir de cadenas se escucha sonar,
las altas campanas, por el viento inquietas
pausados sonidos en las torres dan.

Rüido de pasos de gente que viene
a compás marchando con sordo rumor,
y de tiempo en tiempo su marcha detiene,
y rezar parece en confuso son.

Llegó de don Félix luego a los oídos,
y luego cien luces a lo lejos vió,
y luego en hileras largas divididos,
vió que murmurando con lúgubre voz,

enlutados bultos andando venían;
y luego más cerca con asombro ve,
que un féretro en medio y en hombros traían
y dos cuerpos muertos tendidos en él.

Las luces, la hora, la noche, profundo,
infernal arcano parece encubrir.
Cuando en hondo sueño yace muerto el mundo,
cuando todo anuncia que habrá de morir

al hombre, que loco la recia tormenta
corrió de la vida, del viento a merced,
cuando una voz triste las horas le cuenta,
y en lodo sus pompas convertidas ve,

forzoso es que tenga de diamante el alma
quien no sienta el pecho de horror palpitar,
quien como don Félix, con serena calma
ni en Dios ni en el diablo se ponga a pensar.

Así en tardos pasos, todos murmurando,
el lúgubre entierro ya cerca llegó,
y la blanca dama devota rezando,
entrambas rodillas en tierra dobló.

Calado el sombrero y en pie, indiferente
el féretro mira don Félix pasar,
y al paso pregunta con su aire insolente
los nombres de aquellos que al sepulcro van.

Mas ¡cuál su sorpresa, su asombro cuál fuera,
cuando horrorizado con espanto ve
que el uno don Diego de Pastrana era,
y el otro, ¡Dios santo!, ¡y el otro era él!...

Él mismo, su imagen, su misma figura,
su mismo semblante, que él mismo era en fin:
y duda y se palpa y fría pavura
un punto en sus venas sintió discurrir.

Al fin era hombre, y un punto temblaron
los nervios del hombre, y un punto temió;
mas pronto su antiguo vigor recobraron,
pronto su fiereza volvió al corazón.

            —Lo que es, dijo, por Pastrana,
         bien pensado está el entierro;
         mas es diligencia vana
         enterrarme a mí, y mañana
         me he de quejar de este yerro.

Diga, señor enlutado,
¿a quién llevan a enterrar?
—Al estudiante endiablado
don Félix de Montemar—,
respondió el encapuchado.

—Mientes, truhán. —No por cierto.
—Pues decidme a mí quién soy,
si gustáis, porque no acierto
cómo a un mismo tiempo estoy
aquí vivo y allí muerto.

—Yo no os conozco. —Pardiez,
que si me llego a enojar,
tus burlas te haga llorar
de tal modo, que otra vez
conozcas ya a Montemar.

¡Villano!... Mas esto es
ilusión de los sentidos,
el mundo que anda al revés,
los diablos entretenidos
en hacerme dar traspiés.

¡El fanfarrón de don Diego!
De sus mentiras reniego,
que cuando muerto cayó,
al infierno se fué luego
contando que me mató—.

Diciendo así, soltó una carcajada,
y las espaldas con desdén volvió:
se hizo el bigote, requirió la espada,
y a la devota dama se acercó.

"—Conque, en fin, ¿dónde vivís?
Que se hace tarde, señora.
—Tarde, aún no; de aquí a una hora
lo será. —Verdad decís:
será más tarde que ahora.

Esa voz con que me hacéis miedo,
de vos me enamora más:
yo me he echado el alma atrás;

juzgad si me dará un bledo
de Dios ni de Satanás.

—Cada paso que avanzáis
lo adelantáis a la muerte,
don Félix. ¿Y no tembláis,
y el corazón no os advierte
que a la muerte camináis?

Con eco melancólico y sombrío
dijo así la mujer, y el sordo acento,
sonando en torno del mancebo impío,
rugió en la voz del proceloso viento.

Las piedras con las piedras se golpearon,
bajo sus pies la tierra retembló,
las aves de la noche se juntaron,
y sus alas crujir sobre él sintió:

y en la sombra unos ojos fulgurantes
vió en el aire vagar que espanto inspiran,
siempre sobre él saltándose anhelantes:
ojos de horror que sin cesar le miran.

Y los vió y no tembló: mano a la espada
puso y la sombra intrépido embistió,
y ni sombra encontró ni encontró nada;
sólo fijos en él los ojos vió.

Y alzó los suyos impaciente al cielo,
y rechinó los dientes y maldijo,
y en él creciendo el infernal anhelo,
con voz de enojo blasfemando dijo:

"Seguid, señora, y adelante vamos:
tanto mejor si sois el diablo mismo,
y Dios y el diablo y yo nos conozcamos,
y acábese por fin tanto embolismo.

"Que de tanto sermón, de farsa tanta,
juro, pardiez, que fatigado estoy:
nada mi firme voluntad quebranta,
sabed en fin que donde vayáis voy.

"Un término no más tiene la vida:
término fijo; un paradero el alma:
ahora adelante." Dijo, y en seguida
camina en pos con decidida calma.

Y la dama a una puerta se paró,
y era una puerta altísima, y se abrieron
sus hojas en el punto en que llamó,
que a un misterioso impulso obedecieron;
y tras la dama el estudiante entró;
ni pajes ni doncellas acudieron;
y cruzan a la luz de unas bujías,
fantásticas, desiertas galerías.

Y la visión como engañoso encanto,
por las losas deslízase sin ruido,
toda encubierta bajo el blanco manto
que barre el suelo en pliegues desprendido,
y por el largo corredor en tanto
sigue adelante y síguela atrevido,
y su temeridad raya en locura,
resuelto Montemar a su aventura.

Las luces, como antorchas funerales,
lánguida luz y cárdena esparcían,
y en torno en movimientos desiguales
las sombras se alejaban o venían:
arcos aquí ruinosos, sepulcrales,
urnas allí y estatuas se veían,
rotas columnas, patios mal seguros,
yerbosos, tristes, húmedos y oscuros.

Todo vago, quimérico y sombrío,
edificio sin base ni cimiento
ondula cual fantástico navío
que anclado mueve borrascoso viento.
En un silencio aterrador y frío
yace allí todo: ni rumor, ni aliento
humano nunca se escuchó: callado,
corre allí el tiempo, en sueño sepultado.

Las muertas horas a las muertas horas
siguen en el reloj de aquella vida,
sombras de horror girando aterradoras,
que allá aparecen en medrosa huída;

ellas solas y tristes moradoras
de aquella negra, funeral guarida,
cual soñada fantástica quimera,
vienen a ver al que su paz altera.

Y en él enclavan los hundidos ojos
del fondo de la larga galería,
que brillan lejos cual carbones rojos,
y espantaran la misma valentía:
y muestran en su rostro sus enojos
al ver hollada su mansión sombría,
y ora en grupos delante se aparecen,
ora en la sombra allá se desvanecen.

Grandïosa, satánica figura,
alta la frente, Montemar camina,
espíritu sublime en su locura,
provocando la cólera divina:
fábrica frágil de materia impura,
el alma que la alienta y la ilumina,
con Dios le iguala, y con osado vuelo
se alza a su trono y le provoca a duelo.

Segundo Lucifer que se levanta
del rayo vengador la frente herida,
alma rebelde que el temor no espanta,
hollada sí, pero jamás vencida:
el hombre en fin que en su ansiedad quebranta
su límite a la cárcel de la vida,
y a Dios llama ante él a darle cuenta,
y descubrir su inmensidad intenta.

Y un báquico cantar tarareando,
cruza / aquella quimérica morada,
con atrevida indiferencia andando,
mofa en los labios, y la vista osada:
y el rumor que sus pasos van formando,
y el golpe que al andar le da la espada,
tristes ecos, siguiéndole detrás,
repiten con monótono compás.

Y aquel extraño y único rüido
que de aquella mansión los ecos llena,
en el suelo y los techos repetido,
en su profunda soledad resuena:

y expira allá cual funeral gemido
que lanza en su dolor la ánima en pena,
que al fin del corredor largo y oscuro
salir parece de entre el roto muro.

Y en aquel otro mundo, y otra vida,
mundo de sombras, vida que es un sueño,
vida, que con la muerte confundida,
ciñe sus sienes con letal beleño;
mundo, vaga ilusión descolorida
de nuestro mundo y vaporoso ensueño,
son aquel ruido y su locura insana,
la sola imagen de la vida humana.

Que allá su blanca y misteriosa guía
de la alma dicha la ilusión parece,
que ora acaricia la esperanza impía,
ora al tocarla ya se desvanece:
blanca, flotante nube, que en la umbría
noche, en alas del céfiro se mece,
su airosa ropa desplegada al viento,
semeja en su callado movimiento:

humo süave de quemado aroma
que el aire en ondas a perderse asciende,
rayo de luna que en la parda loma,
cual un broche su cima el éter prende;
silfa que con el alba envuelta asoma
y al nebuloso azul sus alas tiende,
de negras sombras y de luz teñidas,
entre el alba y la noche confundidas.

Y ágil, veloz, aérea y vaporosa,
que apenas toca con los pies al suelo,
cruza aquella morada tenebrosa
la mágica visión del blanco velo:
imagen fiel de la ilusión dichosa
que acaso el hombre encontrará en el cielo,
pensamiento sin fórmula y sin nombre,
que hace rezar y blasfemar al hombre.

Y al fin del largo corredor llegando,
Montemar sigue su callada guía,
y una de mármol negro va bajando
de caracol torcida gradería.

larga, estrecha y revuelta, y que girando
en torno de él y sin cesar veía
suspendida en el aire y con violento,
veloz, vertiginoso movimiento.

Y en eterna espiral y en remolino
infinito prolóngase y se extiende,
y el juicio pone en loco desatino
a Montemar que en tumbos mil desciende,
y envuelto en el violento torbellino
al aire se imagina, y se desprende,
y sin que el raudo movimiento ceda,
mil vueltas dando, a los abismos rueda:

y de escalón en escalón cayendo,
blasfema y jura con lenguaje inmundo,
y su furioso vértigo creciendo,
y despeñado rápido al profundo,
los silbos ya del huracán oyendo,
ya ante él pasando en confusión el mundo,
ya oyendo gritos, voces y palmadas,
y aplausos y brutales carcajadas;

llantos y ayes, quejas y gemidos,
mofas, sarcasmos, risas y denuestos,
y en mil grupos acá y allá reunidos,
viendo debajo de él, sobre él enhiestos,
hombres, mujeres, todos confundidos,
con sandia pena, con alegres gestos,
que con asombro estúpido le miran
y en el perpetuo remolino giran.

Siente por fin que de repente para,
y un punto sin sentido se quedó;
mas luego valeroso se repara,
abrió los ojos y de pie se alzó:
y fué el primer objeto en que pensara
la blanca dama, y alredor miró,
y al pie de un triste monumento hallóla
sentada en medio de la estancia, sola.

Era un negro solemne monumento
que en medio de la estancia se elevaba,
y a un tiempo a Montemar, ¡raro portento!,
una tumba y un lecho semejaba:

ya imaginó su loco pensamiento
que abierta aquella tumba le aguardaba;
ya imaginó también que el lecho era
tálamo blando que al esposo espera.

Y pronto recobrada su osadía,
y a terminar resuelto su aventura,
al cielo y al infierno desafía
con firme pecho y decisión segura:
a la blanca visión su planta guía,
y a descubrirse el rostro la conjura,
y a sus pies Montemar tomando asiento.
así la habló con animoso acento:

"Diablo, mujer o visión,
que a juzgar por el camino
que conduce a esta mansión,
eres puro desatino
o diabólica invención.

"Si quier de parte de Dios,
si quier de parte del diablo,
¿quién nos trajo aquí a los dos?
Decidme en fin, ¿quién sois vos?
Y sepa yo con quién hablo.

"Que más que nunca palpita
resuelto mi corazón,
cuando en tanta confusión,
y en tanto arcano que irrita,
me descubre mi razón.

"Que un poder aquí supremo,
invisible se ha mezclado,
poder que siento y no temo,
a llevar determinado
esta aventura al extremo."

Fúnebre
llanto
de amor,
óyese
en tanto
en son

fiébil, blando.
cual quejido
dolorido
que del alma
se arrancó.
Cual profundo
¡ay!, que exhala
moribundo
corazón.

Música triste,
lánguida y vaga,
que a par lastima
y el alma halaga;
dulce armonía
que inspira al pecho
melancolía,
como el murmullo
de algún recuerdo
de antiguo amor,
a un tiempo arrullo

y amarga pena
del corazón.
Mágico embeleso,
cántico ideal,

que en los aires vaga
y en sonoras ráfagas
aumentado va:
sublime y oscuro,
rumor prodigioso,
sordo acento lúgubre,
eco sepulcral,
músicas lejanas,
de enlutado parche
redoble monótono,
cercano huracán,
que apenas la copa
del árbol menea
y bramando está:
olas alteradas
de la mar bravía,

en noche sombría
los vientos en paz,
y cuyo rugido
se mezcla al gemido
del muro que trémulo
las siente llegar:
pavoroso estrépito,
infalible présago
de la tempestad.

Y en rápido *crescendo*,
los lúgubres sonidos
más cerca vanse oyendo
y en ronco rebramar;
cual trueno en las montañas
que retumbando va,
cual rugen las entrañas
de horrísono volcán.

Y algazara y gritería,
crujir de afilados huesos,
rechinamiento de dientes
y retemblar los cimientos,
y en pavoroso estallido
las losas del pavimento
separando sus junturas
irse poco a poco abriendo,
siente Montemar, y el ruido
más cerca crece, y a un tiempo
escucha chocarse cráneos,
ya descarnados y secos,
temblar en torno la tierra,
bramar combatidos vientos,
rugir las airadas olas,
estallar el ronco trueno,
exhalar tristes quejidos
y prorrumpir en lamentos:
todo en furiosa armonía,
todo en frenético estruendo,
todo en confuso trastorno,
todo mezclado y diverso.

Y luego el estrépito crece
confuso y mezclado en un son,

que ronco en las bóvedas hondas
tronando furioso zumbó;
y un eco que agudo parece
del ángel del juicio la voz
en tiple, punzante alarido
medroso y sonoro se alzó:
sintió, removidas las tumbas,
crujir a sus pies con fragor,
chocar en las piedras los cráneos
con rabia y ahinco feroz,
romper intentando la losa
y huir de su eterna mansión
los muertos, de súbito oyendo
el alto mandato de Dios.

Y de pronto en horrendo estampido
desquiciarse la estancia sintió,
y al tremendo tartáreo rüido
cien espectros alzarse miró:
de sus ojos los huecos fijaron
y sus dedos enjutos en él;
y después entre sí se miraron,
y a mostrarle tornaron después;
y enlazadas las manos siniestras,
con dudoso, espantado ademán,
contemplando y tendidas sus diestras
con asombro al osado mortal,
se acercaron despacio y la seca
calavera, mostrando temor,
con inmóvil, irónica mueca
inclinaron, formando enredor.

Y entonces la visión del blanco velo
al fiero Montemar tendió una mano,
y era su tacto de crispante hielo,
y resistirlo audaz intentó en vano.

Galvánica, cruel, nerviosa y fría,
histérica y horrible sensación,
toda la sangre coagulada envía
agolpada y helada al corazón...

Y a su despecho y maldiciendo al cielo,
de ella apartó su mano Montemar,

y temerario alzándola su velo,
tirando de él la descubrió la faz.

¡Es su esposo!, los ecos retumbaron,
¡la esposa al fin que su consorte halló!
Los espectros con júbilo gritaron:
¡Es el esposo de su eterno amor!

Y ella entonces gritó: ¡Mi esposo! Y era
(¡desengaño fatal! ¡triste verdad!)
una sórdida, horrible calavera,
¡la blanca dama del gallardo andar!...

Luego un caballero de espuela dorada,
airoso, aunque el rostro con mortal color,
traspasado el pecho de fiera estocada,
aún brotando sangre de su corazón,

se acerca y le dice, su diestra tendida,
que impávido estrecha también Montemar:
—Al fin la palabra que disteis cumplida,
doña Elvira, vedla, vuestra esposa es ya.

Mi muerte os perdono. —Por cierto, don Diego,
repuso don Félix tranquilo a su vez,
me alegro de veros con tanto sosiego,
que a fe no esperaba volveros a ver.

En cuanto a ese espectro que decís mi esposa,
raro casamiento venísme a ofrecer:
su faz no es por cierto ni amable ni hermosa:
mas no se os figure que os quiera ofender.

Por mujer la tomo, porque es cosa cierta,
y espero no salga fallido mi plan,
que en caso tan raro y mi esposa muerta,
tanto como viva no me cansará.

Mas antes decidme si Dios o el demonio
me trajo a este sitio, que quisiera ver
al uno u al otro, y en mi matrimonio
tener por padrino siquiera a Luzbel:

Cualquiera o entrambos con su corte toda,
estando estos nobles espectros aquí,

no perdiera mucho viniendo a mi boda...
Hermano don Diego, ¿no pensáis así?—

Tal dijo don Félix con fruncido ceño,
en torno arrojando con fiero ademán
miradas audaces de altivo desdeño,
al Dios por quien jura capaz de arrostrar.

El cariado, lívido esqueleto,
los fríos, largos y asquerosos brazos,
le enreda en tanto en apretados lazos,
y ávido le acaricia en su ansiedad.
Y con su boca cavernosa busca
la boca a Montemar, y a su mejilla
la árida, descarnada y amarilla
junta y refriega repugnante faz.

Y él, envuelto en sus secas coyunturas,
aún más sus nudos que se aprietan siente,
baña un mar de sudor su ardida frente
¡y crece en su impotencia su furor!
Pugna con ansia a desasirse en vano,
y cuanto más airado forcejea,
tanto más se le junta y le desea
el rudo espectro que le inspira horror.

Y en furioso, veloz remolino,
y en aérea fantástica danza,
que la mente del hombre no alcanza
en su rápido curso a seguir,
los espectros su ronda empezaron,
cual en círculos raudos el viento
remolinos de polvo violento
y hojas secas agita sin fin.

Y elevando sus áridas manos
resonando cual lúgubre eco,
levantóse en su cóncavo hueco
semejante a un aullido una voz
pavorosa, monótona, informe,
que pronuncia sin lengua su boca,
cual la voz que del áspera roca
en los senos el viento formó.

"Cantemos, dijeron sus gritos,
la gloria, el amor de la esposa,
que enlaza en sus brazos dichosa,
por siempre al esposo que amó:
su boca a su boca se junte,
y selle su eterna delicia,
süave, amorosa caricia
y lánguido beso de amor.

"Y en mutuos abrazos unidos,
y en blando y eterno reposo,
la esposa enlazada al esposo
por siempre descansen en paz:
y en fúnebre luz ilumine
sus bodas fatídica tea,
les brinde deleites y sea
la tumba su lecho nupcial."

Mientras, la ronda frenética
que en raudo gīro se agita,
más cada vez precipita
su vértigo sin ceder;
más cada vez se atropella,
más cada vez se arrebata,
y en círculos se desata
violentos más cada vez.

Y escapa en rueda quimérica,
y negro punto parece
que en torno se desvanece
a la fantástica luz,
y sus lúgubres aullidos
que pavorosos se extienden,
los aires rápidos hienden
más prolongados aún.

Y a tan continuo vértigo,
a tan funesto encanto,
a tan horrible canto,
a tan tremenda lid;
entre los brazos lúbricos
que aprémianle sujeto,
del hórrido esqueleto,
entre caricias mil.

Jamás vencido el ánimo,
su cuerpo ya rendido,
sintió desfallecido
faltarle, Montemar;
y a par que más su espíritu
desmiente su miseria
la flaca, vil materia
comienza a desmayar.

Y siente un confuso,
loco devaneo,
languidez, mareo
y angustioso afán:
y sombras y luces,
la estancia que gira,
y espíritus mira
que vienen y van.
Y luego a lo lejos,
flébil en su oído,
eco dolorido
lánguido sonó,
cual la melodía
que el aura amorosa,
y el aura armoniosa
de noche formó.
Y siente luego
su pecho ahogado,
y desmayado,
turbios sus ojos,
sus graves párpados,
flojos caer.
La frente inclina
sobre su pecho,
y a su despecho,
siente sus brazos
lánguidos, débiles
desfallecer.

Y vió luego
una llama
que se inflama
y murió;
y perdido,

oyó el eco
de un gemido
que expiró.
Tal, dulce
suspira
la lira
que hirió
en blando
concento
del viento
la voz,

Leve,
breve
son.

En tanto en nubes de carmín y grana
su luz el alba arrebolada envía,
y alegre regocija y engalana
las altas torres al naciente día.
Sereno el cielo, calma la mañana,
blanda la brisa, transparente y fría,
vierte a la tierra el sol con su hermosura
rayos de paz y celestial ventura.

Y huyó la noche y con la noche huían
sus sombras y quiméricas mujeres,
y a su silencio y calma sucedían
el bullicio y rumor de los talleres;
y a su trabajo y a su afán volvían
los hombres y a sus frívolos placeres,
algunos hoy volviendo a su faena
de zozobra y temor el alma llena.

¡Que era pública voz, que llanto arranca
del pecho pecador y empedernido,
que en forma de mujer y en una blanca
túnica misteriosa revestido,
aquella noche el diablo a Salamanca
había en fin por Montemar venido....
Y si, lector, dijerdes ser comento,
como me lo contaron, te lo cuento.